Faire pour le mieux et être à son meilleur

Prendre soin de sa santé mentale

par
Bruno Fortin, M.A.(Ps)

Les Éditions du Méridien bénéficient du soutien financier du Conseil des arts du Canada pour son programme de publication.

LE CONSEIL DES ARTS | THE CANADA COUNCIL
DU CANADA | FOR THE ARTS
DEPUIS 1957 | SINCE 1957

DISTRIBUTEURS:

CANADA:
MESSAGERIE ADP
955, rue Amherst
Montréal (Québec)
H2L 3K4

EUROPE ET AFRIQUE:
ÉDITIONS BARTHOLOMÉ
16, rue Charles Steenebruggen
B-4020 Liège
Belgique

ISBN 2-89415-178-0

© Éditions du Méridien

Dépôt légal - Bibliothèque nationale du Québec, 1997

Imprimé au Canada

À Claire Nadeau

Préface

Quel plaisir de retrouver Bruno Fortin, cet excellent vulgarisateur et conseiller psychologique. Comme dans ses ouvrages déjà parus, il nous propose ici un regard tout à fait juste sur les réalités et les difficultés de la vie.

Son approche se caractérise par ce côté «pratico-pratique» qui s'éloigne tellement des considérations trop théoriques et inaccessibles de certains auteurs. Il fait apparaître les mille et une embûches que la vie peut nous réserver et c'est avec des conseils pratiques et surtout réalisables, qu'il nous apprend à les surmonter. Qu'il nous parle de soucis quotidiens ou de grandes épreuves, de stress de courte durée ou qui n'en finissent plus, de harcèlement sexuel ou de dépression sévère, c'est toujours avec intelligence et bon sens qu'il aborde les problèmes de l'existence.

Il nous apprend à mieux gérer les grandes émotions de la vie (la colère, l'angoisse, la dépression, etc.) et pour ce faire, nous donne de très nombreux exemples qui illustrent bien ce qu'il explique.

Ce qui m'épate le plus de ce livre, c'est pourtant son «langage»: un langage accessible et jamais complaisant, un style agréable et qui fait que la lecture d'un ouvrage «sérieux» n'est pas une corvée.

On y retrouve à chaque page l'immense respect que l'auteur voue à ses lecteurs, car jamais il ne propose de «recettes-miracles», ni ne joue les magiciens. Son approche sous-entend toujours, au contraire, le travail et l'effort et, dans ce sens, il ne cesse jamais d'être réaliste et honnête, tout

9

en arrivant à véritablement encourager ceux qui souffrent et qui sont démoralisés, ceux qui n'ont pas encore découvert leurs propres forces et leurs propres ressources.

Un des chapitres de cet ouvrage traite de l'«état d'équilibre»; on peut dire de ce livre qu'il est bien «équilibré». En paraphrasant l'auteur, je crois que pour cet excellent ouvrage, il a «fait pour le mieux» et a «été à son meilleur».

Bernard Groulx

Bernard Groulx, M.D., C.S.P.Q., F.R.C.P., est chef du Département de Psychiatrie à l'Hôpital Ste-Anne et professeur-adjoint au Département de Psychiatrie et au Centre d'étude sur le vieillissement de l'Université McGill.

Introduction

Après une quinzaine d'années de travail en milieu hospitalier, j'ai pu constater que la majorité de mes clients avaient besoin d'acquérir certaines habiletés de base afin d'obtenir les résultats qu'ils souhaitaient atteindre. J'ai la conviction qu'il existe un ensemble d'outils qui aident les gens à se bricoler une existence plus efficace. Tant que la vie se déroule selon leurs désirs, peu songent à la modifier. C'est lorsqu'il y a un dérapage, un accident, une usure prématurée que l'individu se penche vers son matériel personnel pour y puiser les instruments qui l'aideront à remettre sa vie en état de fonctionnement. Certains y trouvent un outillage varié dont ils connaissent bien le mode d'utilisation et d'autres n'y trouvent qu'un ou deux instruments, un peu rouillés, qui ne peuvent servir qu'à planter des clous ou à tourner une vis. Il suffit d'un peu d'imprévu pour qu'ils se retrouvent sans alternative. J'ai souvent souhaité pouvoir référer à un document simple et pertinent qui indiquerait quoi faire lorsque les moyens habituels ne fonctionnent plus ou sont insuffisants. Trop de gens se retrouvent à la merci d'auteurs de toutes sortes qui tiennent un langage incompréhensible, font miroiter des résultats inaccessibles ou enseignent des stratégies inefficaces. Trop se laissent tenter par une consommation abusive de médicaments ou de services divers dont ils deviennent esclaves. Toute forme de dépendance toxique, c'est-à-dire tout recours à une substance ou à une activité dangereuse pour la santé et l'intégrité physique dans le but d'altérer l'état émotionnel (Bradshaw, 1988), s'avère une stratégie inefficace et un danger pour la santé mentale. La consommation

11

excessive d'alcool, de nourriture ou de drogues, ou encore la conduite automobile à une vitesse excessive sont des exemples de tactiques stériles de réduction de la tension, car en échange d'un soulagement à court terme, elles risquent de créer des problèmes supplémentaires qui augmenteront le niveau global de tension.

Cet ouvrage se veut un guide simple, pratique, concret, informant des éléments qui constituent un état de santé mentale et sur les moyens pertinents pour le développer progressivement. Comme le titre l'indique, il vous suggère de faire de votre mieux, selon vos connaissances et vos ressources actuelles et vise à augmenter celles-ci tout en vous encourageant à devenir la meilleure personne possible. Certains y puiseront des éléments favorisant le retour d'un équilibre antérieur, d'autres s'en inspireront pour s'acheminer vers une vie plus satisfaisante. Tous y trouveront une occasion de réflexion sur cette riche notion qu'est la santé mentale.

Certains exercices vous sont proposés pour vous aider à développer les différents éléments de votre santé mentale. Vous pouvez simplement les lire ou vous donner l'occasion d'apprendre des choses sur vous-même en prenant la peine de suivre les procédures suggérées. La valeur de ce que vous en retirerez dépend de vos efforts. Comme dans le domaine financier, les intérêts perçus dépendent de l'importance de l'investissement.

Les exemples qui illustrent mes propos sont inspirés de cas réels. Il s'agit tantôt de clients, tantôt d'étudiants ou de participants à différents ateliers que j'ai animés. La réalité est souvent complexe et chacune de ces personnes mériterait une description plus complète et plus nuancée de ce qu'elle a vécu, mais les exemples ont été modifiés afin de rendre toute identification impossible. Ils vous serviront surtout à mieux comprendre mon propos et à vous référer à votre propre expérience.

Vous souhaiterez sans doute vous attarder à certaines parties de cet ouvrage qui vous intéressent particulièrement et y revenir à l'occasion; par exemple la section 4.9 traitant de la gestion des émotions — dépression, anxiété et colère. Je me suis permis, en songeant à cette possibilité, de reprendre sous différents angles les mêmes concepts, toujours dans le but de faciliter votre apprentissage.

Certaines personnes, face à une nouvelle idée, à une nouvelle ressource ou à un nouveau livre, s'empressent d'identifier d'abord et avant tout dans quel contexte ce qui est proposé ne peut pas être utilisé. Quelle perte de temps! Laissez-vous plutôt imaginer une façon personnelle d'utiliser les suggestions que contiennent ce livre afin qu'elles vous soient des plus utiles. La satisfaction que vous en obtiendrez dépendra en grande partie des idées personnelles qui vous viendront sous l'inspiration de ce qui vous sera présenté. Le fait de ne pouvoir communiquer face à face avec vous me prive de la possibilité de préciser davantage le sens de certaines idées, peut-être difficiles ou en opposition à vos croyances personnelles. Vous êtes la personne la mieux placée pour en juger. Retenez ce qui vous est utile à ce moment-ci et mettez à la poubelle ou «au frigidaire» d'autres idées qui pour l'instant ne répondent pas à vos besoins. Elles pourraient devenir plus significatives ou utiles plus tard.

Il ne s'agit pas ici de magic. Votre lecture ne remplacera pas une évaluation et un traitement médical ou psychologique. Il ne réglera pas tous vos problèmes instantanément et sans effort. Le fait d'avoir des attentes réalistes face à toute ressource est déjà un élément primordial de la santé mentale. Ce livre vous aidera à vous sentir plus responsable de votre santé mentale, de votre vie, et plus apte à travailler progressivement à son amélioration.

Au cours de la vingtaine de cours donnés à plusieurs universités au Québec, j'ai eu la difficile tâche de présenter les différentes définitions de ce qu'est la santé mentale; tâche difficile s'il en est, car ces définitions dépendent essentiellement des valeurs et des choix de vie propres à celui qui les élabore. J'ai choisi de présenter un grand éventail d'éléments regroupés autour de six grands thèmes: 1) Une attitude positive envers soi-même, 2) Un état d'équilibre en mouvement, 3) Une perception et une évaluation juste, 4) L'autonomie, 5) Des liens satisfaisants avec autrui et 6) L'accès aux émotions et à l'expression. Certains des éléments abordés se recoupent. Certaines suggestions présentées sous un item s'appliquent également pour d'autres. Il ne s'agit naturellement pas de catégories exclusives. J'ai choisi de répéter certaines stratégies-clés sous différents aspects afin d'en souligner l'importance et de faciliter votre apprentissage. J'espère que ce livre favorisera votre réflexion, votre cheminement personnel et vous permettra d'entrer en contact avec la richesse qui se trouve en vous. Chacun des éléments présentés pourrait devenir à son tour l'objet d'un ouvrage. Nous n'en aborderons donc que ce que j'en considère comme l'essentiel. À vous de poursuivre votre démarche en les explorant au besoin un à un. À chacun de vous de prendre la responsabilité de votre vie en établissant à partir des conditions propres à votre milieu, vos priorités et choix existentiels.

1

Une attitude positive envers soi-même

Nous souhaitons d'abord vous encourager à vous connaître, à vous accepter, à vous aimer et à vous faire confiance.
Tout un programme! Heureusement, cela n'est peut-être pas
aussi difficile que vous l'imaginez. Vous n'êtes pas obligé de
le faire instantanément, de façon absolue et pour l'éternité.
Au contraire! Nous vous encourageons à le faire progressivement, à votre rythme et à votre façon. Toute amélioration est
bonne à prendre.

1.1) La connaissance de soi

Certains se comportent dans la vie comme s'ils condui-
saient une automobile dont ils n'auraient jamais lu le manuel
d'instruction. Des lumières rouges et vertes clignotent, des
indicateurs et des pictogrammes tentent d'attirer leur attention, mais ils n'en tiennent pas compte, gardant les yeux sur
la route et le pied sur l'accélérateur.

Aline devenait parfois fatiguée, sans énergie et pensive.
Elle commençait à soupçonner une maladie mentale sérieuse.
Ses cours de psychologie l'avaient convaincue que tout re-
montait à l'enfance et elle cherchait déjà une relation inces-
tueuse quelconque dans l'histoire de sa famille élargie,
lorsqu'elle constata que ces phénomènes désagréables surve-
naient simplement lorsqu'elle ne se réservait pas suffisamment de temps de sommeil. Des heures de sommeil régulières
et suffisantes firent disparaître les symptômes.

6. Si vous êtes convaincu, ajoutez cette caractéristique à votre liste.

Bernadette fut très surprise de constater qu'elle était perçue par plusieurs de ses amies comme une personne énergique et décidée alors qu'elle se voyait passive et soumise. Les exemples que ces amies lui donnèrent l'amenèrent à constater qu'elle avait fait face à plusieurs difficultés avec énergie et détermination lorsqu'il s'était agi de défendre ses enfants et qu'elle pouvait tout aussi bien utiliser ces ressources pour elle-même, dans un contexte autre que son rôle de mère.

Camille se percevait comme un boute-en-train. Après enquête, il réalisa que ce n'était vrai qu'au travail, c'est-à-dire lorsqu'il était sobre. Parce qu'il buvait trop lors des soirées récréatives, son entourage jugeait son comportement déplacé. Cette perception plus réaliste l'incita à régler son problème d'alcool et à développer son côté comique tout en restant sobre.

En se connaissant mieux, on identifie plus facilement ce qui nous fait le plus souffrir, les formes de critiques qui nous blessent davantage et à quels moments nous sommes le plus émotifs. Bien connaître ses périodes de vulnérabilité permet d'accroître son attention en vue de se protéger en cas de besoin. Le simple fait de comprendre ce qui se passe permet déjà d'éviter la confusion.

Ce cheminement de découverte de vos forces, de vos ressources personnelles, de vos qualités ne se complète pas en une soirée. Laissez votre liste ouverte. Retournez-y occasionnellement pour reprendre contact avec les aspects positifs et pour la compléter par les informations supplémentaires que vous obtiendrez.

Profitez de toutes les occasions pour noter vos sentiments, vos pensées et les images qui vous viennent à l'esprit: que souhaitez-vous? Que préféreriez-vous? Qu'est-ce qui vous gêne? Lors de remarques négatives à votre égard, demandez-vous si ce sont des informations utiles à votre cheminement. Vous aurez par la suite à décider ce qu'il convient d'améliorer ou de développer.

1.2) L'acceptation de soi.

Certaines personnes se comportent comme le voyageur de St-Amable qui voulait aller en Europe mais refusait de partir, considérant que le point de départ d'un si beau voyage ne pouvait être une si petite ville. Quelle que soit votre position actuelle, il vous faut avant tout l'admettre comme point de départ. Si vous êtes au sous-sol, c'est du sous-sol qu'il faut accepter de partir.

Je ne parle pas ici de résignation mais bien d'acceptation. Il s'agit d'accepter ce que vous êtes car c'est à partir des ressources associées à votre état actuel que vous allez améliorer votre état de santé mentale. Vous devrez, comme tous les êtres humains, faire de votre mieux avec ce que vous avez. Croire que vous êtes monstrueux, inacceptable, ou que vous êtes une toute autre personne est futile. Comme vous avez à vivre avec vous-même, mieux vaut vous prendre comme allié. Intéressez-vous à cet ami, observez le et apprenez à utiliser ses forces.

Yves souffrait d'isolement car il était convaincu que son obésité était un obstacle aux relations inter-personnelles. Il a donc déployé beaucoup d'énergie pour perdre cinquante livres. Maigrir n'était pas sa réelle motivation: il voulait se faire des amis. Son isolement était son vrai problème. Ses conditions de vie se sont améliorées lorsqu'il a développé des amitiés, malgré son obésité. Il a accru sa sociabilité au moment où il a daigné changer ses exigences envers son corps. Il fut ensuite surpris de constater qu'il lui était beaucoup plus facile de maigrir une fois ses besoins d'amitié satisfaits.

Il ne sert à rien de vous traiter comme une voiture de courses si vous êtes essentiellement une auto de promenade.

Consacrez donc plutôt vos énergies à devenir la meilleure auto de promenade possible. À quoi bon vous traiter comme si vous étiez un éléphant si vous êtes une fleur. On ne met pas de poids lourds sur une fleur, même sur une «excellente» fleur au meilleur de sa capacité. Comme toute métaphore, ces images peuvent porter à confusion. Je ne vous invite pas à une résignation passive: je vous parle ici d'acceptation de limites, et il y en a toujours. Vous pouvez les repousser, les amoindrir, en modifier l'impact, mais refuser d'en tenir compte ne peut que vous mener à la frustration.

Un des mythes tenaces reliés à notre culture «démocratique» consiste à entretenir l'illusion que nous sommes tous égaux et que la vie doit être juste. Malheureusement, nous n'affrontons pas la vie avec les mêmes chances: certains sont plus beaux, plus forts, plus endurants, plus intelligents, plus habiles, ont accès à un milieu plus stimulant, plus chaleureux, ont plus d'argent et de ressources pour satisfaire leurs besoins et pour se développer. C'est ainsi. C'est injuste. Il semble que la vie soit ainsi faite. Toutefois, chacun de nous a une valeur personnelle importante et une richesse intérieure à développer.

Il est souvent délicat de souligner l'importance de l'acceptation car trop de gens se résignent à supporter des situations intolérables. Ils cessent de se développer prématurément et évitent de précieuses occasions d'apprentissage. Rappelons l'importance de développer nos richesses intérieures, d'affronter ce qui nous fait peur, de devenir de plus en plus la personne que nous pouvons être. C'est souvent le délicat défi du psychothérapeute d'encourager son client à vouloir s'améliorer sans pour autant créer d'illusions. Accepter des limites ne signifie cependant pas que l'on ne doit pas faire d'efforts pour repousser ces limites.

Tenez-vous un discours intérieur positif:

1. Je suis un être humain qui fait du mieux qu'il peut avec les forces et les ressources qui sont à sa disposition.

2. J'ai le droit d'être qui je suis.

3. Je veux mieux me connaître et travailler activement à me développer à partir de mon état actuel.

Donnez-vous un peu de temps pour vous fréquenter, vous connaître et en venir à être en accord avec vous-même. Rendez-vous compte que personne d'autre n'a la même histoire que vous, les mêmes expériences, les mêmes souvenirs. Vous êtes unique.

Évitez d'accorder une importance exagérée à certaines caractéristiques que vous ne pouvez pas changer et que vous considérez comme négative. À l'adolescence, Michel n'aimait pas son nez. Il en avait des complexes. Il croyait que tout le monde ne pensait qu'à cela. De fait, bien que cette partie de son anatomie pouvait attirer l'attention, ce n'était certainement pas déterminant pour la qualité de sa relation avec son entourage. Il avait un merveilleux sens de l'humour, un grand cœur, et une fois qu'on le connaissait, son nez devenait bien secondaire. Avec le temps, lui-même y a accordé de moins en moins d'attention. Il devient plus facile, une fois adulte, de baser son identité personnelle sur des valeurs plus essentielles que sur son apparence physique. Peut-être pensez-vous que Michel pourrait avoir recours à la chirurgie si son apparence continuait de l'obséder, mais plusieurs personnes considèrent ce choix inacceptable pour eux à cause des coûts financiers et psychologiques associés à cette démarche. Il est parfois plus simple d'accepter son état actuel que d'avoir à le faire après une intervention chirurgicale qui ne garantit pas un résultat idéal. Souvent, c'est l'attitude qui crée ou amplifie un problème.

Viviane est préoccupée par la grosseur de ses seins et pour cette raison elle a commencé à éviter les gens et à fuir leur regard, ce qui est interprété par les jeunes de sa classe comme un manque d'intérêt: ils croient qu'elle ne veut pas leur parler. Risquant par son attitude de s'isoler de plus en plus, elle en arrivera à conclure que les gens ne la trouvent pas attrayante. En acceptant son apparence, même si elle ne correspond pas à l'«idéal» véhiculé par les médias et par la mode, elle aurait plus d'occasions de mettre en évidence ses valeurs personnelles et de développer sa sociabilité.

1. Faites une liste de certains aspects de votre vie que vous avez de la difficulté à accepter et que vous considérez impossible à modifier.

   Exemple: L'homosexualité

2. Demandez-vous ce que pensent les personnes importantes de votre vie à ce sujet.

   Exemple: Ma mère l'accepte sans grand enthousiasme.

                             Mon père est horrifié par cette idée.

                             Mes amis et amies trouvent cela sans grande importance.

3. Demandez-vous:
   - Comment est-ce que je verrai cela dans 1, 2, ou 5 ans?
   - Comment en suis-je venu à accorder tant d'importance à cet aspect de ma vie?
   - Quelle est la valeur ou la croyance que j'ai actuellement à ce sujet? Quelle est la valeur ou la croyance que j'aimerais avoir à ce sujet?
   - Est-ce que je connais des personnes qui ont cet aspect dans leur vie et qui n'y accordent pas tant d'importance?

4. Cherchez à rencontrer des personnes qui acceptent cet état. Parlez avec eux de ces situations qui vous préoccupent et que vous avez de la difficulté à accepter. Le fait de les exposer et de partager vos préoccupations vous aidera à en accepter plus facilement la présence. Le fait de rencontrer d'autres personnes qui ont la même caractéristique et qui l'acceptent vous aidera à intégrer de nouvelles croyances.

5. Commencez à vous comporter comme si vous aviez déjà cette nouvelle croyance. Cela vous aidera à l'intégrer progressivement dans votre vie.

Un autre domaine où l'acceptation est primordiale est celui des états psychologiques désagréables: la frustration, l'anxiété, la tristesse, la colère. Les émotions vous informent sur le degré de satisfaction de vos besoins de base. Elles vous donnent l'énergie ou le «carburant» nécessaires pour agir (Bradshaw, 1988).

– La tristesse est une émotion qui vous permet de «guérir» des pertes importantes. Vous devez «digérer» le choc de ces pertes et vous adapter à une nouvelle réalité. La tristesse est douloureuse et il peut être tentant de l'éviter, mais elle libère l'énergie impliquée dans la douleur émotionnelle. La retenir en vous maintient la douleur vivante.

– La peur libère une énergie vous avertissant d'un danger qui menace la satisfaction de vos besoins. Elle vous porte à agir avec discernement et sagesse.

– La culpabilité et la honte sont les messagers de votre conscience. Elles vous indiquent que vous avez fait quelque chose qui est en désaccord avec vos valeurs et vous demandent d'en tenir compte.

– La colère vous pousse à combattre lorsque vos besoins sont frustrés. Elle vous donne de la force.

– La frustration vous fait réagir face à une insatisfaction. Elle vous informe qu'il y a un écart entre vos attentes et votre perception de la situation actuelle.

– La joie est l'énergie disponible lorsque vos besoins sont satisfaits. Elle vous annonce que tout va bien.

Les émotions sont des ressources légitimes et il est toujours utile d'en prendre conscience. Lorsqu'elles atteignent une durée, une fréquence et une intensité exagérée et qu'elles ne remplissent plus leur fonction, il faut avoir recours à certains moyens afin de mieux les contrôler. Il vous arrive, par exemple, d'avoir peur de situations qui sont sans danger, ou d'avoir honte de comportements parfaitement sains et acceptables.

L'émotion est elle-même source de jugements de valeurs qui provoquent un certain trouble. Juger négativement cette émotion ou ne pas en tenir compte aura pour effet de l'intensifier, alors que vous souhaitez vous en débarrasser. Ainsi, la peur de l'anxiété en augmente les symptômes. Lorsque vous avez honte de votre tristesse, vous ne faites que vous enfoncer dans un état désagréable. L'acceptation évite ce genre de cercle vicieux et permet à l'émotion de jouer son rôle de messager, puis de disparaître. Nous verrons plus loin comment éviter que ces émotions légitimes ne s'amplifient démesurément. Le fait de les accepter, d'en chercher la provenance et d'en observer les effets constitue une première étape vers un meilleur contrôle de leur intensité.

1.3)   L'estime de soi

Fortement influencée par notre culture, l'estime de soi est une auto-évaluation. Cette estime est souvent plus ou moins grande, selon que nos attributs correspondent ou non aux standards de valeur de cette culture.

Apprenez à voir vos bons côtés; tenez compte de votre bonne volonté; découvrez vos aspects intéressants; identifiez ce que vous aimez de vous. Vous pouvez vous référer à l'exercice suggéré au niveau de la connaissance de soi. Plus vous vous connaissez, plus souvent vous entrez en contact avec les aspects de vous que vous aimez. Prenez le temps d'y réfléchir. Peut-être avez-vous développé dernièrement des caractéristiques intéressantes que vous ignoriez auparavant.

Étudiante au Cegep, Caroline a trouvé utile de faire une affiche portant son nom où elle a inscrit ce qu'elle aime de son apparence physique, de sa personnalité, de ses valeurs.

Le fait de relire ces descriptions positives l'a aidée à réaliser qu'elle est une personne intéressante, digne d'être aimée des autres et d'elle-même.

Quelqu'un vous a-t-il joué un mauvais tour en vous faisant croire que vous ne méritiez pas que l'on s'intéresse à vous et que l'on vous aime? Révisez cette croyance. Rappelez-vous que certaines amitiés se forgent avec le temps; à vivre avec quelqu'un, on peut en venir à le connaître et à l'apprécier. Habituez-vous à vous et devenez-vous indispensable. Gardez l'esprit ouvert pour laisser ce phénomène naturel se produire car si vous portez des œillères, elles vous empêcheront de voir vos bons côtés et vous ne serez attentif qu'aux aspects désagréables de votre personnalité. S'il s'agissait de quelqu'un d'autre que vous, vous considéreriez cela comme un exemple de pensée discriminatoire. Ne vous discriminez pas. Gardez votre esprit ouvert pour mieux vous connaître et vous apprécier.

Abusée sexuellement par son père, Francine en était venue à croire que la seule façon d'intéresser les gens, surtout les hommes, était de s'en tenir à un rôle d'objet et utilisait sa sexualité pour se rallier les gens. Elle en vint à mieux se connaître, à faire la différence entre ses besoins émotifs et ses besoins sexuels et put apprécier sa vitalité ainsi que toute l'énergie et les efforts qu'elle avait déployés pour élever son enfant, malgré les difficultés de sa vie de fille-mère.

Identifiez vos critères d'amour:

Avant de m'aimer, je dois d'abord _____

Je ne serai digne d'être aimé que si _____

Les personnes qui sont aimées sont nécessairement

_____

D'où vous viennent ces croyances? Sont-elles à date? S'agit-t-il d'anciennes croyances que vous avez avalées tout rond et que vous continuez d'appliquer automatiquement? Si c'est le cas, mieux vaut les réviser et choisir en fonction de quelles valeurs vous souhaitez vivre votre vie d'adulte.

Il n'y a aucun préalable à l'amour de soi. Vous êtes digne d'être aimé pour ce que vous êtes: un être humain qui fait de son mieux avec les ressources qui sont à sa disposition. Vous pouvez aimer plus ou moins ce que vous faites en fonction de critères que vous avez avantage à réviser occasionnellement. Vous pouvez vous améliorer en vous dirigeant progressivement vers un idéal que vous pourrez atteindre ou non. Nous reparlerons de l'importance de la présence d'un idéal dans la vie.

Au moment de s'évaluer, certaines personnes sont de bien mauvais comptables. Elles notent soigneusement toutes leurs difficultés sans tenir compte de leurs bons coups. Elles donnent beaucoup d'importance à chaque occasion où elles ont fait une petite erreur mais oublient d'enregistrer certaines qualités qu'elles ont mises en évidence des dizaines de fois. Évitez de transformer chaque erreur en défaut. Vous n'êtes pas un individu fondamentalement insensible, à qui l'on ne peut se fier, parce que vous avez oublié un rendez-vous ou que vous êtes en retard de 15 minutes!

L'être humain est trop complexe pour qu'une évaluation puisse en être faite sommairement, noir sur blanc. Pensez avec nuance. Vous n'êtes pas nécessairement un minable si vous n'êtes pas un héros; les événements ne sont pas nécessairement d'un ennui mortel parce qu'ils ne sont pas très excitants. Ce n'est pas parce que vous n'avez pas eu une note de 95% que vous ne valez rien.

Soyez attentifs à vos propres désirs. Exprimez vos besoins. Évitez de sacrifier systématiquement vos besoins pour les besoins des autres. N'endurez pas les situations désagréables jusqu'à la limite du supportable. Ne laissez pas les gens vous traiter comme si vous étiez nul, vous en viendriez à le croire. Veillez à satisfaire vos besoins afin d'en recueillir un peu d'énergie. Ne laissez personne abuser de vous car vous êtes digne de respect. Cela ne sert à rien de vous sacrifier dans le but d'être apprécié par tous, en tout temps: c'est impossible et cela n'est pas nécessaire.

Ne vous sentez responsable que des choses sur lesquelles vous avez un certain contrôle. Il est inutile de vous torturer parce qu'un inconnu s'est suicidé comme il est illusoire de penser que vous pourriez nourrir tous les sans-abris de la ville ou convaincre votre oncle alcoolique de cesser de fumer et de boire alors qu'il n'a manifestement pas l'intention d'arrêter.

Pensez à ce qui vous fait du bien. Évitez de ruminer vos défauts, vos faiblesses, vos défaillances. Évitez de vous rappeler de tout ce que vous avez vécu de désagréable, de toutes les humiliations que vous avez subies. Cela ne sert à rien d'en faire l'inventaire, ce sont des pensées qui empoisonnent votre vie.

S'aimer, c'est aussi bien se traiter. Encouragez-vous, appréciez toute amélioration. Tout mouvement qui va dans la direction où vous souhaitez aller mérite d'être apprécié. Certaines personnes se traitent comme si elles étaient leur propre ennemi (Fortin et Roskies, 1990). Elles s'insultent, se torturent avec des questions sans réponses et se projettent des films d'horreur où elles jouent le rôle d'un prophète de malheur. Traitez-vous plutôt comme on traite un ami: reconnaissez votre propre valeur, intéressez-vous à connaître vos goûts et à en tenir compte lorsque vous faites des activités; évitez de vous harceler avec vos faiblesses. Des milliers de pensées et d'images vous passent par la tête. Beaucoup sont sans conséquences, d'autres plus ou moins perturbantes et certaines sont utiles et bénéfiques. Choisissez ce qui vous est utile et bénéfique. Lorsque vous vous sentez bouleversé, demandez-vous: Qu'est-ce que je suis en train de me dire? Est-ce exact? Est-ce utile? Que puis-je me dire de plus exact et de plus utile? Si votre réflexion vous permet de vous préparer efficacement à ce qu'il y a à affronter, poursuivez-la. Si elle est toxique et inutile... remettez-la en question et passez à autre chose! Il ne s'agit pas de vous raconter des histoires en vous disant que la vie est belle, lorsque ce n'est pas le cas: vous ne le croiriez pas très longtemps. Il s'agit au contraire d'être plus réaliste en évitant de ne voir que le côté négatif des choses. Il serait avantageux d'envisager également ce qui pourrait se produire d'agréable ou de moins pénible. Considérez vos idées comme des hypothèses au lieu de les croire vérités absolues. Vous aurez par la suite l'occasion de vérifier si elles étaient justes.

1.4) La confiance en soi

Certaines personnes ont un préjugé défavorable envers elles-mêmes. Elles se pensent incapables de faire quelque chose de bien. C'est comparable à l'agriculteur qui ne croirait pas que les plants de tomates qu'il met en terre pousseront et qui ne prendrait pas la peine de les arroser et de leur donner les engrais nécessaires. Dans de telles conditions, la vie n'aura aucune chance de s'épanouir en eux, même si elle y est présente. Je vous invite plutôt à agir en bon jardinier, sachant que ses plants pousseront s'il leur donne les soins requis. Conscient que leur croissance ne se fera pas instantanément, il attend patiemment que ses soins portent fruit.

Rappelez-vous vos succès, ce que vous avez réussi à apprendre, ce que vous avez fait pour vous-même. Suzelle, terrorisée par l'idée de rentrer sur le marché du travail, n'arrivait pas à croire qu'elle pourrait décrocher un emploi, le garder et y être appréciée. Se rappeler qu'elle avait réussi à bien gérer sa famille tout en faisant des études l'a aidée à prendre de l'assurance et à admettre qu'elle avait un bon sens de l'organisation.

Mettez progressivement vos habiletés à l'épreuve. Il ne s'agit pas d'un concours visant à vous comparer à d'autres mais plutôt d'une exploration de l'étendue de vos capacités. Vous pourrez ainsi savoir jusqu'où vous pouvez vous faire confiance et à partir de quel point vous avez besoin d'amélioration. Donnez-vous des défis à votre mesure; procédez par petites étapes. Si vous ne mettez jamais à l'épreuve vos capacités, vous vous priverez d'occasions de développer vos habiletés et lorsque les événements vous forceront à affronter un problème, vous n'aurez pas appris à y faire face de façon efficace.

Gilbert avait peur des rencontres sociales. Enfant unique, il était habitué à avoir toute l'attention qu'il désirait sans faire quoi que ce soit. Cela lui paraissait irréalisable de se mettre en valeur afin d'intéresser son entourage. Il s'habitua d'abord à être en présence de quelques personnes. Progressivement, il augmenta le degré de difficulté de ces rencontres en y jouant un rôle de plus en plus actif.

Pour avoir confiance en quelqu'un, vous avez besoin de savoir qu'il ne vous mettra pas volontairement dans des situations pénibles ou d'un niveau de difficulté supérieur à ce que vous pouvez affronter. Il s'agit également d'un des aspects de la confiance en soi. Prenez une entente avec vous à l'effet que vous ne vous pousserez pas dans la partie la plus profonde de la piscine avant de savoir nager. Assurez-vous d'apprendre ce qu'il faut pour faire face aux défis que vous trouvez importants. Ne restez pas non plus au bord de la piscine: il faut un jour ou l'autre aller à l'eau pour apprendre à nager. Déterminez ce qu'il y a à faire pour vous prouver que vous êtes digne de confiance. Ne prenez aucun engagement que vous ne remplirez pas; mieux vaut promettre moins et tenir ces promesses.

Adèle se sentait incapable de discuter avec son mari de ses comportements violents. Ce n'est qu'après en avoir parlé avec une travailleuse sociale qu'elle se sentit suffisamment informée et sûre d'elle-même pour lui dire qu'elle ne tolérerait plus cette violence. Le fait d'en savoir plus long sur le phénomène lui a donné confiance en ses capacités de se débrouiller et de survivre à une telle confrontation. Elle savait maintenant avoir accès à des ressources personnelles en plus de celles qu'elle pouvait trouver autour d'elle.

La perception que les gens ont de leurs capacités influence grandement leur vie de tous les jours (Bandura, 1977, 1986, 1990). Souvent, les gens ne donnent pas leur rendement optimal même s'ils savent très bien quoi faire. Cela est dû au fait que les pensées que l'on a en relation avec soi-même interviennent entre la connaissance et l'action.

Jacques était bon guitariste. Au moment de jouer devant Luc, il se mit à penser qu'il ne jouait pas aussi bien que son ami, qu'on se moquerait de lui, qu'il allait oublier la suite de la pièce musicale qu'il avait amorcée. Ces pensées prirent tellement de place en lui qu'elles arrivèrent à le distraire, ce qui l'amena effectivement à faire plus d'erreurs qu'il n'en faisait habituellement. Les gens qui se jugent incapables d'affronter les demandes de l'environnement songent à leurs déficiences personnelles et conçoivent leurs difficultés potentielles comme plus importantes qu'elles ne le sont réellement (Beck, 1976; Lazarus et Launier, 1978; Meichenbaum, 1977; Sarason, 1975). Une telle attitude crée du stress et sabote l'utilisation efficace de leurs compétences en mettant l'accent sur les échecs personnels et les difficultés potentielles plutôt que sur la meilleure façon de procéder dans une situation donnée.

Dans la vie quotidienne, il faut constamment prendre des décisions au sujet de ce qu'on doit faire, de l'effort que l'on devra y mettre, de même que du temps qu'il faudra y consacrer. Un bricoleur expérimenté peut rencontrer les mêmes difficultés qu'un débutant lors de l'installation d'un évier, mais il poursuivra ses efforts malgré ces difficultés parce qu'il a confiance en ses capacités de résoudre les problèmes qui se présentent. Ces décisions dépendent en partie des jugements que les gens portent sur leurs capacités. Ils tendent à éviter les tâches et les situations qu'ils croient au-delà de leurs moyens, mais ils entreprennent et exécutent avec assurance ce qu'ils se jugent capable de faire. Cela favorise le développement sélectif des habiletés relatives aux domaines connus et le maintien de faiblesses dans ceux qui le sont moins. En n'explorant pas d'autres aptitudes, la personne se prive de l'occasion de se développer et de réajuster ses comportements. Pas d'essai, pas d'erreur: pas d'apprentissage. Convaincu de n'avoir aucun talent en sport, Marc n'a jamais pratiqué d'activité physique. Il a développé ses intérêts pour la lecture et est devenu écrivain, mais il demeure maladroit et a peu d'endurance physique. Lorsqu'il y a un effort physique à fournir, il abandonne rapidement la partie, puisqu'il n'a pas développé la coordination et l'endurance nécessaires pour y faire face.

Les jugements de vos capacités déterminent donc la somme des efforts que vous aurez à fournir et le temps de persistance que vous devrez mettre pour franchir les obstacles ou faire face aux expériences désagréables. Plus forte est la perception de vos adresses, plus tenaces seront vos efforts. La persistance favorise l'acquisition de connaissances et de compétences et le tout est habituellement récompensé par l'obtention d'un haut niveau de performance et couronné de succès.

Les gens qui se croient hautement efficaces agissent, pensent et se sentent différemment de ceux qui se considèrent inefficaces. Ils ne font pas que prédire leur futur, ils le produisent.

Pour améliorer votre confiance en vos capacités:

1. Recherchez des modèles qui savent faire ce que vous voulez apprendre.

2. Établissez des buts précis.

3. Renforcez vos succès en vous récompensant.

4. Fragmentez les tâches en petites étapes.

5. Recherchez du feed-back positif sur ce que vous faites.

6. Concevez l'habileté comme quelque chose que vous pouvez apprendre et perfectionner.

7. Imaginez des facteurs pouvant vous aider à réaliser la tâche en question.

8. Cultivez votre sens de l'humour, essayez de vous maintenir dans une humeur joyeuse.

9. Faites l'expérience du succès et attribuez-vous la responsabilité de ce succès.

Nous vous avons jusqu'ici encouragé à vous connaître, à vous accepter, à vous aimer et à vous faire confiance. C'était un bon départ. Abordons maintenant la notion d'équilibre.

2

Un état d'équilibre en mouvement

La santé mentale est un état d'équilibre de la pensée et des émotions, mais elle doit également comporter une part suffisante de résistance au stress. S'il advient un débalancement, on doit pouvoir retrouver sa quiétude. Ce nouvel équilibre, d'un niveau supérieur à celui que l'on avait temporairement perdu, se devra d'être en mouvement pour favoriser le développement personnel. Explorons-en chacun des aspects.

2.1) L'équilibre de la pensée et des émotions

Certaines personnes se retrouvent constamment dans des excès émotionnels: elles sont comme soulevées par des tornades, submergées par des vagues émotives qui leur font perdre toute capacité de penser. D'autres sont figées, congelées, froides, entièrement guidées par un monde de raison qu'aucun sentiment ne vient réchauffer.

La capacité d'obtenir un équilibre de la pensée et des émotions permet de mener une vie calme et productive. Cet équilibre ne doit toutefois pas être figé. N'est-ce pas préférable, sinon indispensable, d'être parfois déstabilisé? De «tomber en amour», «changer d'emploi», «faire un deuil»? Un équilibre trop rigide amène une grande fragilité (Fortin, 1987).

L'équilibre des émotions, est relié à celui de la pensée (Beck, 1967, 1976; Beck et Emery, 1985; Dryden, 1990; Feindler, et Exton, 1986; Emery, 1982, 1987; Fortin et

Néron, 1990; Mathews, Gelder et Johnston, 1981; Novaco, 1975). Votre réaction aux situations est directement liée au sens que vous leur donnez, soit votre façon de voir, votre point de vue, vos pensées ou vos images. Imaginez une série de trois boîtes représentant les étapes du processus:

| Événement | Sens qu'on lui donne
(Pensées et images) | Réactions corporelles et émotionnelles |

Il est impossible de réagir à chaque nouvelle situation comme à un événement unique en soi. Nous émettons des hypothèses et des croyances qui nous permettent d'évaluer rapidement les situations auxquelles nous faisons face. Tels des collectionneurs, dès notre plus jeune âge, nous apprenons, compilons, déduisons et rangeons des pensées sur ce qu'est le monde ou sur ce qu'il devrait être. La famille — ou ce qui en tient lieu — est le premier milieu social de l'homme où, enfant, il a à déterminer ce qui mérite son attention, quelle «nourriture» psychologique est disponible et quelles valeurs se retrouvent autour de lui. Ces apprentissages qui comportent un grand nombre de répétitions sont particulièrement marquants et durables parce qu'ils sont les premiers et constituent ainsi une sorte de prototype. Vous avez acquis, en bas âge, certaines croyances qui ont déterminé vos comportements et ceci avant que vous ne puissiez juger de leur pertinence ou de leur importance. Une fois acceptées, ces bases s'installent dans votre subconscient et ne sont plus remises en question. Elles deviennent difficiles à isoler et à identifier mais ne sont pas disparues pour autant. Bien qu'inconscientes, elles influencent l'évaluation que vous faites des expériences nouvelles.

Certaines de ces croyances ou règles sont si rigides qu'elles n'admettent pas d'exception. Elles sont irrationnelles, excessivement sévères et auto-destructrices. Lorsque nous en ressentons les effets, nous pouvons décider de les dépister puis de les remettre en question.

Penser sans nuance (je suis le meilleur ou je ne vaux rien), de façon pessimiste (si je m'absente, un voleur videra certainement ma maison), demander l'impossible (je dois toujours être au meilleur de ma forme) ou généraliser à partir d'un événement ou d'un préjugé (tous les hommes sont violents) se répercute sur nos émotions. Il est bienfaisant de remettre en question ces réflexions pour obtenir un certain aplomb. Vous n'êtes pas né avec ces croyances, vous les avez apprises et vous raisonnez en conséquence. Il vous est donc possible d'en acquérir d'autres, en vous y efforçant.

Voyons quelques exemples de questions qui peuvent vous aider à assouplir certains modes de pensée.

Questionnez vos attentes catastrophiques:

1) Quel est le pire qui puisse se produire? Quelle est la probabilité que ça se produise vraiment?

2) Comment aimerais-je que ça se passe? Que pourrait-il se produire idéalement?

3) Est-ce vraiment affreux (horrible ou terrible) que ça ne se soit pas produit comme je l'aurais désiré? J'aurais aimé que cette personne fasse cela. Pourquoi devrait-elle faire ce que je veux? Pourquoi devrait-elle dire, penser ou faire ce que je veux? Cela m'aurait été agréable que cette personne ait fait ou dit cela, mais est-ce vraiment une catastrophe qu'elle ait agi autrement? Désagréable, peut-être, mais est-ce catastrophique?

Questionnez vos jugements globaux:

1) Où est la preuve que ce qui ne fonctionne pas selon mes désirs en ce moment ne fonctionnera pas mieux en d'autres temps?

2) Si Untel dit du mal de moi, tout le monde pensera-t-il ainsi?

3) Suis-je totalement mauvais? Constamment? N'y a-t-il pas une occasion où j'ai été bon?

Questionnez les «Il faut» et les «Je dois»:

1) Pourquoi faudrait-il que j'agisse de cette façon?

2) Qu'est-ce qui se produira si je ne le fais pas ?

3) Pourquoi les autres devraient-ils agir ainsi?

4) Pourquoi un événement devrait-il se produire exactement de la façon dont je le veux?

Voyons maintenant des exemples de pensées extrêmes. Si vous y reconnaissez certaines de vos réflexions, donnez-vous le défi d'en formuler une version plus nuancée qui tiendra compte du contexte.

Exemples de pensées extrêmes

Je suis sans défense. J'ai absolument besoin de la protection des autres.	Je suis toujours capable de me défendre seul contre tous.
Je peux être blessé facilement. Je dois éviter les gens, me méfier et résister.	Je suis invulnérable. Je peux me mettre dans n'importe Quelle situation sans précautions.
Les gens sont tous des adversaires potentiels.	Tous sont mes amis.
Je suis très spécial, absolument unique, parfait et exceptionnel.	Je suis sans importance, aucune.
J'ai absolument besoin d'impressionner.	J'ai besoin de passer inaperçu à tout prix.

J'ai besoin de tout contrôler.	Je n'ai besoin d'aucune sécurité et d'aucun contrôle.
Les gens sont là pour qu'on en profite.	Les gens sont là pour qu'on les serve.
J'ai besoin de beaucoup d'espace.	Je n'ai besoin d'aucun espace.

Les pensées déséquilibrées sont souvent reconnaissables par leur absolutisme: elles contiennent des toujours, tous, jamais, absolument, etc. Mieux vaut les remplacer par une plus grande souplesse qui permet de tenir compte du contexte.

Exemple: Je ne suis pas constamment sans défense. Je suis souvent capable de me défendre seul et de me protéger. Je suis toutefois conscient de mes limites à ce sujet et je ne me mettrai pas dans des situations que je juge dangereuses. Au besoin, je demanderai l'aide de gens de mon entourage.

2.2) Un équilibre résistant au stress

Certaines personnes ont un équilibre émotionnel fragile que la moindre vague peut bouleverser. La résistance aux situations de stress est une ressource précieuse. La santé mentale n'exclut pas la rencontre d'embûches; bien au contraire, elle implique la capacité de conserver son équilibre malgré les difficultés que l'on rencontre.

L'introduction d'activités agréables contribue à augmenter votre résistance au stress (Fortin et Roskies, 1990). Les personnes qui accordent peu d'importance à leurs besoins n'ont pas de réserves suffisantes et sont incapables de fournir un effort soutenu lorsqu'elles ont à faire face à des situations difficiles. Elles sont rapidement frustrées et épuisées. Allez-y progressivement! Vous pouvez commencer par un tout petit changement en faisant un peu plus de place pour le plaisir dans votre vie. Il sera alors plus facile de vous le permettre....et vous y prendrez sans doute goût! Ce moment de plaisir peut se traduire par quelques minutes que vous vous réservez pour téléphoner à une amie, pour faire une courte visite chez la voisine, pour vous asseoir et prendre un café, pour écouter un peu de musique ou pour prendre un bain chaud, pour aller chez le coiffeur ou magasiner.

1. Faites une liste de toutes les activités agréables que vous aimez, aimeriez ou avez aimé pratiquer.

2. Consultez la liste des activités agréables qui sont répertoriées en page 97 et retenez-en quelques-unes.

3. Évaluez les avantages et les coûts de chacune de ces activités et classez-les (regroupez celles qui vous attirent le plus et qui vous semblent réalisables, puis celles que vous aimez moins ou qui vous sont moins accessibles).

4. Choisissez celles que vous souhaitez faire et notez comment vous vous y prendrez pour les réaliser.

Fixez-vous des objectifs faciles à atteindre et des gratifications rapprochées dans le temps. Vous éviterez ainsi de vous épuiser et de vous déprimer avant d'avoir obtenu un petit succès pour vous remonter. Il est plus facile de traverser un désert si l'on s'accorde des oasis à des intervalles raisonnables.

Sébastien et Viviane voulaient par-dessus tout habiter une maison sans hypothèque. À peine sur le marché du travail, ils se sont endettés au-delà de leurs moyens pour enfin réaliser leur rêve. Pour rembourser leur emprunt le plus rapidement possible, ils se sont engagés à faire des paiements élevés et pour y arriver ont pris un travail à temps partiel en plus de leur emploi permanent. Ce fut une erreur, car cette stratégie qui aurait pu s'avérer efficace à court terme, ne pouvait s'appliquer dans une situation qui durerait plusieurs années. Ils ont pu assumer ce rythme de vie... un certain temps. Après deux années de travaux forcés et de privations, ils ne pouvaient plus se tolérer et envisageaient le divorce. Paradoxalement, vouloir trop bien faire peut entraîner la perte du but ou de l'objet de nos sacrifices.

Certains se comportent comme si la vie était un voyage qu'il faut terminer le plus rapidement possible. Sommes-nous si pressés d'arriver au bout, de mourir? N'est-il pas plus sain de voir son existence comme un voyage, comportant plusieurs étapes, chacune ayant son importance? N'est-il pas préférable de profiter du trajet et d'y prendre plaisir?

En plus de vous accorder de petits plaisirs et de satisfaire vos besoins de base, vous pouvez consolider votre capacité à affronter le stress et à maintenir votre équilibre en vous préparant à affronter les situations difficiles. Lorsque vous savez à l'avance que vous aurez à faire face à une situation désagréable ou à traverser une période difficile, servez-vous de cette information pour vous préparer de votre mieux au lieu d'alimenter votre anxiété. Détendez-vous et prenez les ententes qui vous aideront à surmonter ces difficultés.

Sylvie a par exemple demandé à sa sœur de l'accompagner chez le médecin lorsqu'elle est allée vérifier s'il y avait récidive de son cancer.

Chantal avait une grande peur des examens. Elle y pensait constamment et se répétait que cela serait catastrophique de ne pas obtenir un A+. Son anxiété ne faisait que gaspiller l'énergie qu'elle aurait pu employer à mieux se structurer: mettre un peu d'ordre dans ses notes, s'installer une aire de travail agréable et accessible, se réserver des périodes de repos et surtout, songer qu'elle avait déjà passé des examens et qu'elle obtenait habituellement d'assez bonnes notes. Elle aurait pu aussi se demander si dans dix ans, cela aurait une si grande importance qu'elle ait obtenu un A ou un A+. Pour pallier à son problème, elle prit l'habitude d'étudier avec son amie Brigitte qui l'aida à se calmer et à organiser ses périodes d'étude. Cela lui permit de terminer son cours avec succès plutôt que de s'épuiser dès la première session.

Apprenez à reconnaître les signaux qui vous indiquent que vous êtes tendu: maux de tête, maux de dos, douleurs à l'estomac, insomnie, pensées sombres, irritabilité, pleurs... Considérez-les comme des alarmes vous indiquant qu'il est temps de vous arrêter et de prendre soin de vous. Réagissez rapidement. Il est plus facile de redresser une mauvaise situation en ses débuts qu'une fois bien installée.

Nous avons précédemment mentionné l'acceptation comme un élément-clé, une stratégie qui aide à garder son équilibre émotionnel face aux situations difficiles. Acceptez ce qui ne peut être changé — la mort, la perte d'une position sociale, d'un élément de votre intégrité physique, de la beauté ou de la jeunesse. Lors d'une perte, vous vous devez d'en faire un deuil, de vivre la douleur et de vous ajuster à un environnement dépouillé de l'élément disparu. Consentez à prendre cette énergie émotionnelle maintenant sans objet et à l'investir dans une nouvelle relation (Worden, 1982). Nous reparlerons plus spécifiquement du deuil un peu plus loin.

Acceptez également de ressentir un certain niveau d'inconfort. Vous ne tomberez pas en morceaux parce que vous êtes un peu incommodé. Une situation peut être désagréable sans être catastrophique; vous êtes capable de survivre à quelques minutes d'inquiétude ou de douleur. Il ne s'agit pas de rechercher cet état ou de vous y complaire, mais plutôt d'accepter que ça fasse partie de la vie, de l'expérience de tout être humain. Ressentir avec une certaine intensité des émotions désagréables ne nécessite pas la mise en œuvre de moyens exceptionnels. On ne doit pas rajouter à cet état une détresse émotionnelle supplémentaire en se disant que c'est affreux, que c'est la fin du monde, et que l'on ne pourra jamais y survivre.

2.3) La capacité de retrouver son équilibre

Certaines personnes conservent un bon équilibre et résistent bien aux vagues de la vie, mais se retrouvent complètement démunies lorsque survient une tempête; elles sont incapables de remettre leur bateau à flots et coulent. La capacité de retrouver son équilibre permet de continuer de vivre, même après qu'un événement ait sollicité des ressources qui dépassaient nos capacités du moment. Évitez d'en faire une catastrophe. Ne prenez pas un échec comme une situation définitive. Considérez qu'il est normal de trébucher, il faut simplement se relever.

Demandez-vous:

- Qu'est-ce que je souhaite?

- Comment aimerais-je que cela se passe?

- Vers quelle direction est-ce que je veux aller?

- Quels sont mes besoins?

- Quelles sont les ressources internes et externes qui peuvent m'être utiles?

- Comment puis-je investir l'énergie dont je dispose de façon à obtenir le maximum d'effet positif pour un minimum d'effort?

N'hésitez pas à recourir à un ami, à un parent, ou à un professionnel de la relation d'aide. Mieux vaut accepter d'aller chercher de l'aide pour se remettre en selle après avoir été désarçonné que de se résoudre à marcher pendant un trop long trajet. Remettez en question les règles personnelles qui vous empêcheraient d'avoir recours à l'assistance de votre entourage. Elles vous privent de ressources précieuses. Ce n'est pas parce que vous recevez ce type d'aide pour sortir d'une crise que vous devenez dépendant. Au contraire! Vous redeviendrez plus vite autonome si vous vous permettez d'utiliser les moyens pertinents pour vous retrouver au meilleur de votre forme.

2.4)   La progression vers un nouvel équilibre

La capacité d'utiliser nos difficultés comme des occasions d'apprentissage et de croissance personnelle nous permet d'accéder à un équilibre supérieur à celui que nous avions avant de franchir ces obstacles. De nos échecs comme de nos succès, nous tirons des leçons qui nous permettent d'éviter la répétition des mêmes erreurs.

Gaétane fut bouleversée à la suite de sa séparation d'avec son mari. Toutefois, après une période de chagrin, elle retrouva des forces et des qualités qu'elle avait mises de côté dans sa vie de couple. Le fait de redécouvrir ce côté d'elle-même lui permit de bâtir une nouvelle relation plus satisfaisante.

Hubert était obsédé par son travail. Obligé de tout arrêter pendant six mois à cause d'une grave dépression, il a dû remettre en question ses priorités. Sa femme et ses enfants disent apprécier les changements survenus à la suite de cette période difficile: il en est ressorti plus humain et plus chaleureux.

Une des façons d'évaluer si vous vous êtes sorti sainement d'une crise personnelle consiste à vous demander si vous en savez plus sur vous-mêmes depuis cette crise et surtout si vous pourriez faire quelque chose de plus si la même situation se présentait. Ce nouvel équilibre peut, par exemple, inclure l'acceptation du fait que malgré tous vos efforts, vous ne pouvez pas supporter un niveau de pression élevé; cela vous permet de choisir un travail mieux adapté à vos ressources et à vos goûts.

Prenons l'exemple de deux infirmiers. Daniel constata qu'il ne pouvait pas voir souffrir de jeunes enfants, mais qu'il était très à l'aise avec les personnes âgées; Carole dut admettre qu'elle ne pouvait pas tolérer la pression de la salle de chirurgie et qu'elle préférait travailler en psychiatrie. Ils ont donc réorienté leurs carrières. Une réorientation professionnelle ne se fait pas instantanément et sans compromis. Le fait d'en reconnaître la nécessité constitue toutefois l'indispensable première étape d'un cheminement vers une situation plus confortable. Trop de gens s'accrochent à un statu quo comme ils s'accrocheraient désespérément à une branche, craignant de faire une chute mortelle. En se laissant tomber, ils s'aperçoivent qu'il ne s'agissait que d'une chute de deux pieds et qu'ils peuvent maintenant utiliser leurs énergies à d'autres fins. Les crises personnelles nous permettent souvent de «décrocher de cette branche». L'abandon de situations que l'on tentait obstinément de préserver nous conduit souvent à constater que nous avons plus de possibilités que prévu.

Demandez-vous:

– Qu'est-ce que j'ai appris de cette expérience?

– Qu'est-ce que je ferais différemment si cela se reproduisait?

– Qu'est ce que cela a apporté de positif pour moi ou pour mon entourage?

2.5) Présence d'un idéal stimulant (désir de s'améliorer)

Il est sain d'avoir un idéal. Il est également sain de constater que l'image que l'on a de soi ne correspond pas entièrement à cet idéal. C'est normal. Il importe toutefois que cette distance entre notre idéal et l'image que nous avons de nous-mêmes constitue un encouragement à l'amélioration plutôt qu'une raison de se dévaloriser.

Denise admirait son professeur de français qui s'exprimait avec une grande facilité. Elle avait personnellement de la difficulté à parler même en présence d'une seule personne. Elle en vint à avoir honte de son état et à cesser tout effort pour améliorer son habileté à communiquer verbalement. Ce n'est qu'après avoir pris conscience qu'elle pouvait apprendre par étapes à devenir un peu plus expressive (commencer par parler avec une de ses amies) qu'elle commença à faire de petites tentatives qui l'ont amenée à avoir une vie plus agréable. Plutôt que de vouloir immédiatement (comme par magie) ressembler à ce professeur qui donnait régulièrement des conférences publiques et faisait des apparitions à la télévision locale, elle prit pour modèle quelqu'un de plus près d'elle: une autre étudiante un peu plus à l'aise. Elle commença à utiliser les stratégies de cette étudiante et réussit à s'en rapprocher assez pour que ce succès la stimule.

On a souvent l'idée que quelque part, il existe un être parfait (Fortin et Roskies, 1990). Nous nous en faisons une image intérieure qui peut influencer grandement notre estime personnelle. Cela peut prendre, par exemple, la forme d'un ange (toujours satisfait, heureux, doux, respectueux, dévoué, de bonne humeur...) ou d'un surhomme (plus rapide que l'éclair, infatigable, toujours bien coiffé et en forme, jamais malade). Les problèmes surviennent lorsque l'on se met à vouloir ressembler à ces idéaux. En se comparant à eux, on peut se trouver bien méchant ou bien faible. On peut alors se demander: Est-ce moi qui suis sans valeur ou ces modèles sont-ils irréalistes? Est-il possible d'être humain et d'être fier de soi?

Il est normal d'avoir des problèmes. Rappelez-vous que vous êtes humain. Prenez soin d'utiliser des critères réalistes lorsque vous évaluez votre performance. Lorsque vous constatez que vous avez eu des problèmes, identifiez ce qui s'est passé dans cette situation et imaginez ce que vous souhaiteriez faire la prochaine fois. C'est une occasion d'apprendre qui vous aidera à être mieux préparé pour l'avenir. Rappelez-vous qu'il faut vous évaluer sur ce que vous faites à long terme, en évitant d'accorder trop d'importance aux moments d'exaspération ou de découragement. Vous avez peut-être été patient cent fois pour chaque moment d'impatience. Le fait de vous arrêter occasionnellement pour discuter avec des personnes qui vivent des problèmes semblables aux vôtres peut vous permettre de trouver des modèles plus réalistes. Cela peut vous aider à être moins exigeant envers vous-même. Ne vous parlez pas que de problèmes. Prenez le temps de vous féliciter pour chaque tâche accomplie.

Identifiez autour de vous une personne à qui vous souhaitez ressembler. Choisissez des modèles assez près de vous, qui ne vous précèdent que de quelques pas sur le chemin que vous souhaitez prendre. Il y a toujours un individu qui excelle dans un domaine où vous réussissez à peine. Évitez de vous comparer sans cesse à l'excellence. Comparez-vous à vous-même! Comparez ce que vous faites actuellement à ce que vous étiez capable de faire il y a six mois. Rappelez-vous vos progrès, vos apprentissages, et remarquez aussi qu'il y a des gens qui font moins bien que vous.

Plusieurs de vos critères d'auto-évaluation sont basés sur des choses que vous avez apprises alors que vous étiez trop jeune pour les comprendre. Leur utilisation est devenue automatique mais vous devez vous permettre de les découvrir pour pouvoir juger de leur pertinence. Vous ne souhaitez probablement pas vivre votre vie selon des critères qui vous ont été inculqués il y a 20, 30 ou 40 ans. Certains vous ont été transmis avec une rigidité qui les rend difficiles à identifier et à remettre en question, mais comme nous l'avons déjà mentionné, et nous le répéterons parce que c'est un élément important de la santé mentale, chaque critère qui n'admet aucune exception et qui ne tient pas compte du contexte est trop rigide et doit être assoupli.

Nous avons tous plusieurs objectifs personnels dont nous avons à peine conscience. Le fait de les découvrir et de leur faire une place dans notre vie nous permet d'être en contact avec les progrès que nous faisons au cours de notre existence. Le désir constant de se développer, d'atteindre des buts multiples, permet, après l'atteinte d'un objectif de se diriger vers une autre étape de sa vie. Cela évite la dépression qui suit souvent le moment où les gens qui n'avaient qu'un objectif (s'acheter une maison, obtenir un diplôme, etc...) l'atteignent. Leur vie semble temporairement sans signification et il leur est difficile d'entreprendre de nouveaux efforts car ils ne savent plus vers quelle direction aller.

Demandez-vous:

– Qu'est-ce que je souhaite atteindre?

– Quels sont mes modèles?

– Quelles sont mes principales valeurs et comment puis-je satisfaire à mes principaux besoins?

– Qu'est-ce que je dois apprendre pour progresser dans cette direction?

– Quelles sont les étapes ou les différentes routes qui m'amènent vers ce but?

– Qu'est-ce que j'aimerais pouvoir faire que je suis incapable de faire actuellement?

Certaines personnes manquent de motivation pour s'améliorer. Étudions ensemble comment ce problème peut être compris. Les disqualifications (Schiff, 1975) sont des éléments importants dans l'établissement d'un problème de motivation. Il s'agit de mécanismes internes qui amènent les gens à minimiser ou à ignorer certains aspects d'eux-mêmes, des autres ou de la situation. Les gens disqualifient l'existence d'un problème, son importance, la possibilité de changer la situation et leur propre capacité de le faire. Voyons d'abord des exemples de chacune de ces disqualifications avant de les appliquer au domaine de la motivation. Certains disqualifient:

1) **L'existence** de stimuli (événements, sentiments, pensées ou actions) indiquant un problème. Ils ne perçoivent pas ce qui se passe autour d'eux.

   Exemple: - Je n'ai pas mal.

   - Mon fils n'est pas triste.

   - Ma fille n'est pas hyperactive.

46

2) **L'importance** des stimuli et du problème (le sens qu'ils ont). Ils perçoivent ce qui se passe en eux ou autour d'eux mais ne donnent aucun sens à ces événements, ou leur donnent un sens anodins.

Exemple: - J'ai souvent mal à la tête mais ce n'est pas important.

- Mon fils pleure parfois mais cela va passer. Ce n'est pas vraiment sérieux.

- Ma fille bouge beaucoup et n'écoute pas ce qu'on lui dit mais c'est de son âge. Cela va passer avec le temps.

3) **La possibilité réelle de changer la situation** et de résoudre le problème. Ils perçoivent ce qui se passe en eux ou autour d'eux, reconnaissent l'importance du problème mais ne croient pas que la situation puisse être modifiée.

Exemple: - Mon fils est triste mais c'est génétique, nous avons tous tendance à la tristesse dans la famille. C'est la vie. On n'y peut rien.

- Mon mari est violent et il me bat. C'est un problème important mais les hommes sont violents lorsqu'ils consomment de l'alcool. C'est le prix qu'il faut payer pour avoir un homme dans sa vie.

4) **Leur capacité personnelle ou celle des gens de leur entourage à agir** pour régler ce problème. Ils perçoivent ce qui se passe en eux ou autour d'eux, reconnaissent l'importance du problème, considèrent que la situation peut être modifiée, mais ne croient pas qu'eux-même ou que les gens de leur entourage immédiat aient les capacités de le faire.

Exemple: - Mon fils est obèse. C'est un problème important dont il souffre beaucoup. Je sais qu'il existe des programmes pour l'aider à perdre ce poids excédentaire et à modifier

47

ses habitudes alimentaires, mais il n'a pas la capacité de participer régulièrement à ce genre de programme.

- Je sais que ma consommation d'alcool et de drogue cause un problème important dans ma vie. Je sais que certains de mes amis ont réussi à devenir sobre. Je ne crois pas avoir ce qu'il faut pour réussir à le faire.

La première étape de la résolution d'un problème de motivation consiste à remettre en question ces méconnaissances. Une fois que nous avons reconnu l'existence et l'importance d'un problème ainsi que l'existence d'une solution que nous pouvons utiliser, d'autres aspects du problème peuvent émerger. Vous pouvez utiliser le questionnaire suivant pour mieux comprendre la nature du problème motivationnel et intervenir au bon niveau.

Face à un manque de motivation, posez-vous les questions suivantes:

1) Est-ce qu'il y a un problème? Y a-t-il des signaux (événements, sentiments, pensées ou actions) indiquant une situation à améliorer dans mon existence? Indiquant un problème à résoudre? M'informant d'un malaise chez moi ou chez des gens importants de mon entourage?

   Exemple: Je suis seul mais je ne m'en rends pas compte parce que je travaille beaucoup. C'est vrai que je me sens seul.

2) Est-ce un problème ou une situation importante? Qu'est-ce qui risque de se produire si ce problème se maintient ou s'intensifie? Quels sont mes besoins de base menacés par cette situation? Quels sens ces stimuli ont-ils?

   Exemple: Je deviens de plus en plus triste parce que mes besoins de contacts humains ne sont pas satisfaits. Cela commence à avoir un effet même au travail.

3) Existe-t-il des solutions à cette situation? Y a-t-il une possibilité réelle de changer la situation et de résoudre le problème?

Exemple: Les gens réservés et timides le demeurent toute leur vie. C'est génétique. Pourtant je connais Gérard qui a réussi à avoir une vie sociale enviable, bien qu'il ait été encore plus réservé que moi.

4) Est-ce que je suis capable d'agir? Quelqu'un de mon entourage peut-il m'aider à régler ce problème? Puis-je acquérir les habiletés nécessaires, apprendre ce qu'il faut pour régler ce problème?

Exemple: Certaines personnes réussissent à développer leurs habiletés sociales mais je suis trop occupé et trop têtu. Pourtant, j'ai réussi à apprendre le maniement d'un ordinateur. J'ai trouvé le temps. Je peux encore trouver le temps. Rencontrer des gens ne devrait pas être si compliqué après tout. Si Gérard peut le faire, j'en suis certainement capable!

5) Quel est mon objectif? Qu'est-ce que je souhaite obtenir? Comment saurai-je que mes efforts ont été couronnés de succès?

Exemple: Je veux pouvoir m'amuser avec des personnes simples. Je veux surtout rire.

6) Est-ce que je suis prêt à faire l'effort requis? Est-ce que je vois le lien entre ce que je dois faire et le but que je veux atteindre?

Exemple: Je ne crois pas que c'est en allant dans les bars et les discothèques que je vais pouvoir satisfaire ce besoin. Je ne ferai pas cet effort-là. Je suis prêt à suivre des cours de relations humaines. Je crois pouvoir y rencontrer des gens qui aiment rire.

49

7) Ai-je une bonne estimation des efforts à fournir? Est-ce que j'ai l'impression que cela va me demander plus d'énergie, d'efforts ou d'argent que je peux en fournir?

Exemple: Cela me demande un effort de me présenter. Il s'agit d'un investissement financier minime. J'en ai les moyens. C'est en temps que c'est le plus coûteux pour moi. Je vais me réserver ce temps.

8) Est-ce que j'ai des expériences antérieures qui diminuent ma motivation?

Exemple: J'ai déjà tenté de rencontrer des gens au travail mais cela s'est terminé par un malentendu qui dure encore après des années. Je crois que cela sera plus facile hors de mon milieu de travail.

9) Est-ce que j'estime qu'il y a des risques élevés à tenter de changer cette situation ou à tenter la solution envisagée? Qu'est-ce que je risque?

Exemple: Je risque d'avoir moins de temps pour moi. Je risque de m'attacher à des gens qui ne s'intéresseront peut-être pas à moi.

10) Est-ce qu'il y a des pressions du milieu qui m'incitent à ne pas bouger?

Exemple: Ma mère aime bien que je sois si libre et que je passe régulièrement la voir. Mon travail pourrait devenir moins efficace si je cesse de travailler occasionnellement en soirée et les fins de semaine.

11) Est-ce que je suis disponible pour faire les efforts nécessaires? Est-ce qu'il y a un attrait incompatible qui nécessite mon attention pour l'instant?

Exemple: Mon travail m'accapare mais pas plus que d'habitude. Je n'ai rien d'autre qui me demande de l'énergie ces temps-ci.

12) Est-ce que j'ai déjà fait les apprentissages préalables pour réussir dans cette situation? Qu'est-ce que j'ai besoin d'apprendre avant de m'attaquer à cette tâche?

Exemple: J'ai les habiletés sociales de base. J'ai simplement besoin d'avoir un endroit pour les pratiquer.

Nous avons exploré les différents aspects du type d'équilibre que l'on peut associer à la santé mentale. Cet équilibre de la pensée et des émotions comporte une résistance au stress et peut être retrouvé après une période de crise ou d'instabilité. Le nouvel équilibre ainsi obtenu est d'un niveau supérieur à celui que l'on avait temporairement perdu; il est souple et en mouvement et favorise le développement personnel.

Voyons maintenant l'importance de nos perceptions et de nos évaluations en relation avec notre santé mentale.

3

Une perception et une évaluation justes

Notre santé mentale dépend en partie de notre capacité d'avoir une perception exacte de notre environnement ainsi qu'une évaluation réaliste de l'importance et des exigences de la situation et de nos capacités personnelles d'y faire face. Elle dépend également de notre aptitude à percevoir notre propre contribution à ce que l'on vit.

3.1) La capacité de voir et d'entendre ce qui est là

Nous avons tous un monde intérieur rempli de souvenirs et de choses que nous imaginons. Si je vous demande de quelle couleur étaient les murs de la maison où vous habitiez à six ans, vous pourrez vous constituer une image intérieure qui vous permettra de me répondre. Si je vous demande de me décrire un éléphant, vous le ferez en vous l'imaginant. Si je demande à deux personnes de dessiner un chat, je constaterai qu'elles ont une représentation différente de ce qu'est un chat. Cette image est reconstituée à partir de leurs expériences personnelles avec les chats.

Certaines personnes perdent temporairement la notion d'images mentales. Elles ne différencient plus le stimulus intérieur du stimulus extérieur; elles ont perdu contact avec la réalité, c'est-à-dire la référence à un monde de perceptions que nous partageons avec notre entourage et qui nous permet de nous entendre sur ce qui est réel. L'incapacité de différencier une image ou une représentation sonore intérieure d'une image ou un bruit extérieur amène ce que l'on appelle une illusion ou une hallucination visuelle (image) ou auditive (son).

Bertrand entend des voix qu'il est seul à entendre. Ces voix lui disent des choses désagréables au sujet de ses actions. Ces voix font partie des phénomènes psychiques qui se déroulent en lui. Il les perçoit comme une force intérieure qui s'impose à lui. Josée est convaincue qu'elle a vu Dieu et qu'il lui a confié une mission importante. Estelle, quant à elle, a le souvenir d'avoir été contactée par le diable. Quoi qu'elles en disent, ces personnes sont malheureuses et en détresse émotionnelle et ces symptômes sont la manifestation d'une grande anxiété et d'une angoisse profonde. Leur fragilité altère leur capacité de donner un sens aux événements qui se passent à l'intérieur et à l'extérieur d'elles.

Certaines personnes vivent en fonction de croyances religieuses et mystiques qui encouragent la pensée magique et qui mettent de côté la pensée logique. Il y a toutes sortes de modes de vie et il peut être légitime de choisir de vivre en fonction de forces cosmiques mystérieuses. Lorsque des personnes me consultent parce qu'elles se sentent désorientées et malheureuses, je les mets en garde contre le danger de chercher un réconfort ou une solution à leur confusion au sein d'une plus grande confusion. Aussi attrayantes que soient certaines pseudo-sciences qui survivent parce qu'elles répondent à une aspiration profonde de l'être humain — entre autres le désir d'une appartenance fusionnelle à une force cosmique, le désir d'être un élu, et le désir de pouvoir avoir recours à un mode primitif de pensée magique selon lequel ce que l'on désire peut se réaliser par la simple force de la pensée —, je pense que ces croyances et ce mode de vie amplifient la perturbation de personnes fragiles qui recherchent des certitudes simples. Attirées par l'appartenance à un groupe chaleureux, elles sont prêtes à faire abstraction de toute leur évolution antérieure, de leur identité même, pour se fondre dans un ensemble de croyances «prêtes-à-porter». Je vous invite à être particulièrement prudent si vous êtes parmi les personnes fortement influençables qui risquent, sous la pression de suggestions directes ou indirectes dans un contexte émotionnel intense, de ressentir des phénomènes surprenants, à la limite de votre capacité de différencier vos images internes des phénomènes externes.

Rappelez-vous que ce n'est pas parce que vous avez une perception vive d'images ou de pensées que vous êtes obligé de leur accorder de l'importance ou de les croire réelles. Bien des gens sont convaincus d'avoir des rêves prémonitoires ou des expériences surprenantes pouvant être expliquées par des hypothèses mystiques sans en faire le centre de leurs préoccupations et sans accorder à ces phénomènes trop d'importance. Notre raison nous joue des tours et vous trouverez dans les livres différentes explications aux faits qui amènent certaines personnes à faire une grande place au surnaturel dans leur vie (Broch, 1991; CSICOP, 1992; Watzlawick, 1978).

Les préjugés sont d'autres murs à franchir pour arriver à percevoir votre univers avec justesse. Il s'agit d'attitudes qui vous disposent à réagir de façon prédéterminée face à certains événements ou caractéristiques humaines. Plutôt que de vous faire une image réaliste de la personne qui se trouve devant vous, vous serez tenté d'avoir recours aux images véhiculées par les médias ou par votre entourage pour réagir selon un «programme» automatique. Chaque fois que vous pensez que toutes les femmes sont..., que tous les hommes sont..., que tous les gens de couleur sont.., que tous les policiers sont..., alors vous réagissez selon ces attitudes rigides qui prédéterminent votre réaction sur la base de données souvent fausses, distortionnées et inefficaces. Mieux vaut se faire sa propre opinion, réagir, regarder avec ses yeux et écouter avec ses oreilles que regarder et entendre avec son imagination et ses souvenirs.

Décrivez-vous les événements en termes réalistes. Vous construire une fausse représentation des faits amplifie votre réaction émotionnelle et vous maintient dans l'égarement. Si votre patron vous mentionne une erreur, cela ne vous aide aucunement de vous dire qu'il s'agissait d'un «passage à tabac», d'une occasion où vous avez «mordu la poussière», où vous avez eu l'air «complètement débile». Ces formulations et ces images amplifiées ont un impact négatif sur vos émotions et sur votre bien-être.

Voir la réalité, c'est aussi combattre la tendance à considérer qu'un événement s'adresse à vous personnellement. Si quelqu'un parle de gens malhonnêtes, ce n'est pas nécessairement à vous qu'il pense. Vous pouvez en faire l'hypothèse, mais gardez vos yeux et vos oreilles ouverts afin d'être attentif à ce qui est vraiment dit. Cherchez des évidences avant de conclure qu'une personne vous adresse des messages indirects. Au besoin, allez vérifier. Cela vous évitera d'engendrer ce que vous craignez: 1) vous croyez que quelqu'un parle de vous, 2) même si ce n'est pas le cas, parce que vous commencez à le regarder fréquemment il vous remarque, 3) il se met effectivement à parler de vous en s'étonnant de votre air méfiant et 4) vous l'entendez parler de vous et avez l'impression que cela confirme vos craintes alors que vous avez favorisé ce comportement. Rappelez-vous que les gens se préoccupent avant tout de leur propre vie. Il est peu probable qu'ils accordent une grande importance à ce que vous faites. Permettez-vous d'agir en laissant aux autres la responsabilité de venir vous dire personnellement les messages qu'ils vous adressent.

3.2) La capacité d'évaluer son niveau de compétence d'une façon réaliste

Il arrive qu'on s'estime capable d'accomplir quelque chose avec brio, mais que la réalité soit toute autre. Certaines personnes croient qu'elles savent jouer au golf, patiner, nager ou tirer à l'arc alors que ce n'est pas le cas. D'autres croient qu'elles savent divertir les gens, soutenir leur intérêt, les faire rire, les séduire, sans que cela ne soit vrai. Cette conviction les empêche de s'améliorer, car elles croient n'avoir rien à apprendre. Face à une tâche ou une activité que nous ne savons pas faire, mieux vaut miser sur notre capacité d'apprendre et de nous développer.

Les gens qui surestiment leurs capacités entreprennent des choses qui sont au-delà de leurs possibilités. En conséquence, ils se mettent dans des situations difficiles, qui minent leur crédibilité et souffrent des échecs encourus. Cela peut parfois engendrer des conséquences sérieuses et irréparables. Ceux qui sous-estiment leurs capacités souffrent également, car ils limitent leur développement en se privant d'expériences enrichissantes (Bandura, 1977, 1986, 1990). Une évaluation exacte de ses capacités mène à un choix d'actions ayant une haute probabilité de succès.

Choisir des tâches dépassant légèrement ses performances moyennes est une bonne stratégie de croissance. Se fixer des défis raisonnables fournit une motivation pour un développement progressif de ses capacités.

Questionnez votre façon de voir vos capacités:

1) Qu'est-ce que je suis capable de faire dans cette situation?

2) Ai-je déjà réussi à affronter une situation semblable?

3) Suis-je capable d'apprendre ce qu'il faut pour devenir plus efficace?

4) Puis-je procéder par étapes et me donner du temps?

5) Est-ce que je peux réussir au moins en partie ce que j'entreprends?

3.3) La capacité de faire une évaluation réaliste de l'importance de la situation

Face à un problème, l'évaluation que vous faites des implications a un grand effet sur le niveau de stress éprouvé.

Roland et Gilbert se présentent à un examen. Pour Gilbert, il s'agit de la dernière chance qu'il se donne pour se prouver qu'il peut faire quelque chose de sa vie. Pour Roland, ce n'est qu'un des trois examens qu'il aura à passer pour ce cours, qui lui-même n'est qu'un parmi les dix qu'il aura à suivre avant de terminer ses études. Chacun d'eux se présentera au même examen dans un état d'esprit bien différent. La personne qui accorde une importance exagérée à une situation vivra un niveau de tension élevé, gaspillant une énergie précieuse qui pourrait être réservée pour une situation plus importante. À l'inverse, ne pas accorder suffisamment d'importance à cette même situation diminue les chances de succès, car l'énergie nécessaire à la réussite n'est pas investie. L'évaluation d'un problème dépend des valeurs et priorités de chacun; chaque personne est donc son propre juge.

Une des façons efficaces d'amoindrir le niveau d'anxiété consiste à diminuer l'importance que l'on accorde à l'événement. Martin était très anxieux à l'idée de demander à une fille de l'accompagner à une soirée. Suite à mes encouragements, il accepta finalement d'envisager l'idée qu'il était normal d'avoir plusieurs refus et que cela n'était pas si grave. Ces refus sont des informations que ces filles lui donnent sur leurs disponibilités et sur leurs goûts. Cela lui fournira différentes occasions de pratiquer ses habiletés de communication.

Un problème qui rend le jugement plus difficile consiste en l'habitude de donner un sens profond aux événements anodins, car vous pouvez leur accorder un pouvoir de prédiction sur l'avenir. Avoir de la difficulté à aiguiser ses crayons un matin, ne signifie pas que rien de bon ne sera accompli ce jour-là.

Un autre problème qui ne facilite pas une évaluation correcte est l'amplification des événements désagréables car cela ne fait qu'intensifier votre malaise. Lorsque vous réagissez fortement à un incident, demandez-vous si vous n'accordez pas une importance exagérée à cet événement. Ce n'est pas parce que le pare-choc de votre auto a été égratigné que votre auto a perdu toute sa valeur.

Il est particulièrement important de bien percevoir l'importance d'un événement lorsqu'il est relié à l'image que vous vous faites de votre valeur personnelle. Prenez soin de ne pas généraliser chaque jugement négatif. Qu'une personne vous dise qu'elle n'aime pas vos souliers ne signifie pas qu'elle n'aime pas l'ensemble de votre habillement ou que votre personnalité lui déplaît. Ajoutons d'ailleurs que vous pouvez être antipathique à quelqu'un tout en étant sympathique au reste du voisinage. Tous les goûts sont dans la nature et il est impossible de plaire à tous. Si vous apprenez qu'une personne ne vous aime pas, rappelez-vous qu'il s'agit là d'une information sur ses goûts personnels. Vous lui rappelez peut-être un concurrent à l'école, un ancien mari, un percepteur d'impôt, etc... Elle a pu avoir des expériences désagréables avec quelqu'un que vous lui rappelez et il est possible qu'elle ne souhaite pas surmonter ce préjugé pour l'instant. Il y a plusieurs personnes dans l'univers. Jugez de l'importance de cette personne dans votre vie. Ne perdez pas votre énergie à tenter de défoncer un mur de béton armé. Cela n'est pas catastrophique que votre boulanger ne vous aime pas d'amour tendre. Vous avez surtout besoin qu'il vous fournisse du pain. Vous pouvez décider de n'accorder aucune importance aux sentiments du boulanger à votre égard et vous concentrer sur sa tâche. Des milliers de personnes travaillent quotidiennement avec des gens qu'ils aiment plus ou moins mais avec qui ils peuvent collaborer efficacement. Ce sont les opinions de vos compagnons de vie et de vos amis intimes que vous avez à prendre à cœur. Vous aurez certes avantage à tenir compte de leurs façons de voir les choses et de leurs sentiments avant de prendre des décisions importantes, sans toutefois vous sentir obligé d'obtenir leur approbation constante sur tout ce que vous faites. Votre épouse ou votre mari n'a pas à approuver chacun de vos gestes, même si vous devez accorder une grande importance à son avis dans les décisions qui sont déterminantes pour votre vie commune.

Face à un événement qui vous préoccupe, demandez-vous:

– Quelles seront les conséquences réelles de cette situation?

– Qu'est-ce qui me prouve que cet événement est si important?

– Comment le verrai-je dans un mois, un an, dix ans?

– Est-ce qu'une autre personne trouverait cette situation aussi importante?

– Y a-t-il une autre façon de voir?

– Quelles valeurs ou quels besoins sont en jeu dans cette situation?

– Quels sont les choix possibles?

3.4) La capacité de faire une évaluation réaliste de la quantité d'énergie disponible

Certaines personnes poursuivent leur route sans se préoccuper de la quantité d'énergie à leur disposition; en l'absence d'indicateur du niveau d'essence, elles tombent souvent en panne. Prendre soin de faire le plein en se reposant peut éviter ces pannes. Connaître ses limites permet de faire des choix plus éclairés pour l'exécution d'une tâche et évite l'épuisement dont il est difficile de se relever.

Vous pouvez, par exemple, décider de retarder certains projets pour les aborder dans des conditions d'efficacité optimales. Luc se vit offrir de partir en affaire avec son beau-frère devenu chômeur. Il rêvait depuis longtemps d'une telle occasion mais venait de subir une importante opération chirurgicale et n'avait pas l'énergie physique et psychologique nécessaire à la fondation de cette compagnie. Plutôt que de risquer l'échec, il demanda à son beau-frère de considérer son état. Ce dernier accepta d'entreprendre seul les démarches initiales et de vérifier deux mois plus tard l'intérêt de Luc.

En d'autres circonstances, l'évaluation de la quantité d'énergie disponible peut au contraire nous amener à réagir plus rapidement, pendant que nous le pouvons encore. Jean s'empressa de terminer de repeindre sa maison avant que son épouse ne parte pendant un mois s'occuper de sa mère malade. Il savait qu'en son absence, il devrait s'occuper des enfants et n'aurait pas l'énergie de poursuivre les rénovations.

Prenez l'habitude de vous demander à l'occasion où en sont vos réserves d'énergie.

- Actuellement, sur une échelle de 0 à 100, 100 étant le maximum d'énergie disponible et 0 étant le minimum vital qui vous permet de continuer à respirer, à combien situeriez-vous votre niveau d'énergie?

- Quels sont les signaux qui vous indiquent que votre niveau d'énergie est au plus haut? Qu'il baisse? Qu'il atteint un niveau critique?

- Quels sont vos moyens de refaire le plein d'énergie?

3.5) La capacité de faire une évaluation réaliste de la quantité d'énergie requise pour faire face à une situation

Si vous vous imaginez qu'il faudra fournir un effort surhumain pour régler un problème, il y a bien des chances que vous vous disiez que cela ne vaut même pas la peine d'essayer. Cette attitude, trop fréquente, risque de vous empêcher d'apprendre des choses qui vous seraient utiles pour le restant de votre vie. Certaines personnes oublient l'existence de ressources en eux et à l'extérieur d'eux. Elles oublient qu'elles savent déjà certaines choses, elles oublient leur capacité d'apprendre, elles oublient qu'elles ne sont pas nécessairement seules, qu'elles peuvent consulter un confrère ou un spécialiste. Vous n'avez pas à apprendre à lire à chaque fois que vous prenez un livre! Nous verrons dans les pages qui suivent différents moyens susceptibles de vous aider à avoir une perception plus réaliste de l'énergie requise pour accomplir une tâche.

Lorsque la tâche vous semble une montagne insurmontable, c'est que vous oubliez souvent que vous pouvez la fragmenter en parties. Lire un livre de 400 pages peut se faire 10 pages à la fois. Face à un escalier qui vous semble long à gravir, décidez de prendre une marche à la fois.

Vous pouvez également décider de ralentir. La précipitation n'est pas toujours efficace (Fortin et Roskies, 1990). Certains croient que plus on se dépêche, plus on accomplit de choses. Il s'agit d'une idée tout à fait fausse. En réalité, être toujours à la course est un signe de gaspillage d'énergie et d'inefficacité: on utilise deux fois plus d'énergie pour la même somme de travail et on fait des oublis et des erreurs. La précipitation nuit finalement à nos relations interpersonnelles en nous rendant moins disponible et plus irritable. Lorsque vous remarquez que vous êtes essoufflé à force de courir et que vous constatez que vous tournez en rond inutilement, assoyez-vous et faites le point. Aussi surprenant que cela puisse sembler, cela va parfois plus vite d'aller plus lentement. Imaginez que vous vous levez en sursaut en vous disant que votre réveil-matin n'a pas sonné, que vous êtes en retard et que votre sœur arrive dans une heure sans que vous ayez eu le temps de faire le ménage. Vous vous précipitez et courez de long en large dans la maison, déplaçant inutilement les coussins, la poussière et la vaisselle sale. Plus vous constatez votre retard, plus vous courez en rond. Plus vous tournez en rond, plus vous devenez irrité et inefficace. Le fait de vous arrêter et de prendre quelques minutes pour tracer un plan réaliste de ce que vous pouvez vraiment faire dans une telle situation pourrait vous sauver bien du temps. Cela est d'autant plus vrai que dans l'exemple que je vous demande de vous imaginer, votre sœur ne venait que le lendemain matin! Le fait de vous arrêter quelques minutes pour vous réorienter vous aurait permis de vous en rendre compte. Ne vous affolez pas, réfléchissez.

Rappelez-vous de la possibilité de choisir entre différentes options. Vous avez entre autre la possibilité de déléguer. Soyez sélectif pour ce qui est des tâches que vous devez exécuter personnellement. Avant de vous y mettre, demandez-vous s'il ne serait pas mieux de laisser quelqu'un d'autre s'en charger (votre conjoint, vos enfants, vos confrères, un spécialiste, etc). Même si vous travaillez 24 heures par jour, vous ne pourrez absolument pas tout faire. Il est utile de savoir quand utiliser les habiletés et les compétences d'autrui pour obtenir le maximum de résultats avec un minimum d'efforts. Vous n'êtes pas obligé de tout accepter, de tout faire, ou de tout compléter. Huguette a été bien soulagée de constater que ses enfants étaient d'âge à prendre la responsabilité de leur chambre. Cela lui laissait du temps pour faire autre chose.

Établissez vos priorités. Demandez-vous quels seront les inconvénients si la tâche est faite plus tard ou n'est pas faite du tout. Accordez d'abord votre attention au plus important. Ne perdez pas votre temps à faire des choses qui n'en valent pas la peine. Ne gaspillez pas $20.00 de votre temps pour ce qui en vaut $2.00. Donnez-vous la permission de dire «non» et de passer à autre chose. De toute façon, vous ne pouvez faire plaisir à tout le monde constamment. Mieux vaut vous comporter en fonction de vos propres priorités.

Face à un problème, essayez d'envisager toutes les solutions possibles. Regardez en avant et non en arrière: demandez-vous ce que vous pourrez faire la prochaine fois que la situation se présentera.

Vous pouvez éviter la surcharge d'énergie occasionnée par l'affrontement d'un problème de dernière minute en planifiant. Vous pouvez utiliser la planification pour structurer vos journées et pour vous préparer à une situation particulière. Incluez-y du temps pour les interruptions, les urgences et simplement pour relaxer. Autant que possible, planifiez vos activités au moment qui vous convient le mieux, en dehors de moments déjà achalandés. Lorsque vous savez qu'il y aura une situation désagréable à affronter, servez-vous de cette information pour vous préparer plutôt que pour vous rendre anxieux. Prenez de l'information, détendez-vous et au besoin demandez de l'aide.

Lorsque vous accomplissez une tâche, concentrez-vous sur une chose à la fois. Autant que possible, évitez les interruptions. Concentrez-vous sur ce qui est possible plutôt que de courir après l'idéal. Permettez-vous de récupérer entre les tâches. Prenez des pauses régulières. Accordez-vous du temps pour vous reposer afin d'être prêt au cas où vous seriez obligé de puiser à nouveau dans vos réserves d'énergie.

Se fixer des buts irréalistes donne l'impression d'avoir à fournir une quantité phénoménale d'énergie et alimente le mécontentement. Révisez vos buts. Hélène, infirmière de profession, voulait vider les hôpitaux, éliminer la maladie et la mort de la surface de la terre et faire disparaître la souffrance et le malheur. Elle se condamnait ainsi à être constamment insatisfaite et à vivre une longue suite d'échecs. De nouveaux malades arrivent sans cesse à l'hôpital et les gens meurent pour des raisons hors de son contrôle. En vous fixant des petits objectifs réalisables, vous augmentez vos chances de succès et de satisfaction. Vous pouvez décider d'aider les gens en utilisant vos connaissances et vos habiletés, de faire de votre mieux avec les ressources que vous avez, de faire de votre mieux selon le contexte. Vous n'êtes pas responsable des choses sur lesquelles vous n'avez aucun contrôle.

Il y a finalement la possibilité de remettre la résolution d'un problème à plus tard. Cela peut être la meilleure solution lorsque vous n'êtes pas en état d'affronter la situation de la reporter à un moment où vous serez plus disposé ou mieux informé.

Bien que nous ayons mis l'accent jusqu'ici sur notre tendance à surestimer la difficulté de la tâche à accomplir, le fait de la sous-estimer peut aussi être nuisible. Certaines personnes prennent des engagements avant d'avoir toute l'information nécessaire. Accepter d'aller reconduire une amie à la fin de la soirée n'a pas la même implication selon qu'elle demeure à 2 km ou à 200 km. Donnez-vous le temps de recueillir toute l'information dont vous avez besoin avant de prendre des engagements importants.

3.6) La capacité de voir sa contribution à ce que l'on vit

Interviewé pendant son séjour en prison, John évoquait le fait qu'il fallait bien gagner sa vie et qu'il n'avait tiré sur deux policiers que pour se défendre. Après tout, ils allaient sans doute tenter de l'abattre! Il oubliait toutefois de tenir compte du fait qu'il s'était lui-même mis dans une situation délicate en se présentant avec une arme à feu pour réclamer de l'argent dans une banque.

Certaines personnes sont habiles à juger les conséquences des actes... des autres. Pour elles-mêmes, elles manquent d'objectivité et ne peuvent prendre de recul pour voir leur propre responsabilité.

Jocelyne se plaignait régulièrement que les hommes étaient tous des alcooliques et ne pensaient qu'au sexe, mais elle ne se rendait pas compte qu'elle les sélectionnait le samedi soir, dans les bars, à trois heures du matin. Lorsque vous identifiez un problème, demandez-vous d'abord ce qui peut être fait différemment dans cette situation. Les problèmes relationnels sont souvent comme une joute de tennis: pour mettre fin au jeu, vous n'avez pas à attendre que l'autre cesse enfin de vous renvoyer la balle, il suffit de déposer sa propre raquette.

Reconnaissez votre propre pouvoir. Évitez de croire que tout remonte à votre enfance, ou dépend de votre situation économique, ou encore, que la seule thérapie qui puisse vous aider est donnée par une seule personne en Inde et que cela coûterait un million pour l'essayer. Vous avez appris beaucoup de choses au cours de votre vie. Vous pouvez en apprendre d'autres, y compris ce qu'il faut pour influencer positivement vos problèmes actuels. Vous pouvez vous employer à vous aider. Vous l'avez probablement déjà fait.

Imaginez un avenir intéressant. Identifiez ce qu'il y a à faire pour qu'il se produise. Évitez de vous imaginer que tout va aller de plus en plus mal, que toutes vos craintes vont se réaliser, que tout ce qui est désagréable dans votre vie va se maintenir et s'amplifier. Évitez de vous répéter qu'il n'y a aucun espoir et qu'il n'y a rien à faire. Vous n'oseriez pas dire de telles choses à une autre personne. Souvenez-vous de l'importance de vous traiter comme vous traiteriez un bon ami, que vous avez un pouvoir sur votre vie, des choix à faire, des choses à apprendre et des comportements à modifier.

Face à une situation problématique, demandez-vous:

- Est-ce que j'ai déjà vécu quelque chose de semblable?
- Qu'est-ce que j'ai fait à ce moment-là? Était-ce efficace?
- Que pourrais-je faire d'autre? (Faites plusieurs hypothèses)
- Comment une autre personne aurait-elle vécu cette situation? Qu'aurait-elle fait?
- Quels effets cela aurait-il? (Faites plusieurs hypothèses).
- Quel choix, parmi ceux qui sont accessibles à un coût raisonnable, a le plus de chance de me conduire dans la direction où je veux aller?

Nous avons vu l'importance d'avoir une perception exacte de notre environnement ainsi qu'une évaluation réaliste autant de l'importance et des exigences de la situation que de nos capacités personnelles à y faire face. Nous avons finalement mentionné l'importance de percevoir notre propre contribution à ce que l'on vit. Nous allons maintenant explorer en quoi l'autonomie favorise la santé mentale.

4

L'autonomie

Nous allons maintenant vous encourager à développer votre autonomie. Comment? D'abord en devenant responsable de vous-mêmes, en utilisant votre propre jugement, en vous adaptant à votre environnement, en faisant des efforts avec persévérance et en atteignant un certain niveau de compétence, en ayant confiance d'obtenir la satisfaction de vos besoins, en faisant des choix, en apprenant à vous défendre, à surmonter la dépression, l'anxiété, la colère, et finalement en affrontant la solitude et la mort.

4.1) La capacité d'être responsable de soi-même

En fonction de son âge, de son éducation, de son revenu et de ses autres ressources, on s'attend à ce que chaque individu évolue de la dépendance envers ses parents vers une autonomie morale, économique et émotionnelle.

Soulignons à nouveau qu'il ne s'agit pas de penser en terme de tout ou rien. Il n'est pas plus sain d'être obsédé par le fait qu'il ne faut jamais demander d'aide que de se dire que nous ne pouvons rien faire seul. Ce que vous souhaitez, c'est être relativement autonome tout en ayant la possibilité d'avoir recours aux ressources de votre entourage. Il est habituellement plus efficace de pouvoir affronter seul un problème. Vous êtes la seule personne à être présente à tous les moments de votre vie et aucune autre ne possède toutes ces informations sur vos désirs, vos goûts et vos aspirations.

L'autonomie se développe parallèlement à la connaissance de soi et à la confiance en soi. Plus vous connaissez vos ressources et plus vous avez la preuve de les utiliser efficacement, plus vous êtes en mesure de satisfaire vos besoins.

Certaines personnes ont été éduquées selon des valeurs qui accordaient une grande place à la dépendance: si elles étaient suffisamment séductrices ou dévouées, elles avaient l'impression d'obtenir la garantie absolue d'avoir toujours quelqu'un pour s'occuper d'elles. On attribue habituellement cette situation au modèle féminin traditionnel, car les mères se sacrifiaient pour leurs enfants dans l'espoir manifeste qu'ils s'occupent d'elles par la suite, ou alors que l'épouse se mettait au service de son mari et de ses enfants dans l'espoir qu'on pourvoirait à ses besoins. Ce modèle a été remis en question par l'émancipation de la femme et par l'évidence que fournirent trop d'enfants partis tôt et définitivement de la maison, ou encore trop de maris partis refaire leur vie en abandonnant des épouses vieillissantes sans ressources et frustrées. Les hommes qui croyaient obtenir en échange du rôle de pourvoyeur une épouse-mère éternellement à leur service ont dû également remettre en question leur croyance.

Il est plus satisfaisant, même lorsque la vie familiale ou conjugale occupe une grande place dans votre vie, de développer votre capacité à satisfaire vous-même une partie importante de vos besoins.

Odile était bien perplexe face à ses insatisfactions conjugales. Elle se demandait si elle aimait toujours son époux. Trop de frustrations accumulées et de colères refoulées l'empêchaient de demeurer en contact avec ses sentiments tendres. Ce n'est qu'après avoir complété sa scolarité et avoir obtenu un emploi à temps partiel qu'elle a constaté qu'elle désirait poursuivre sa relation de couple. Le fait de pouvoir subvenir à ses besoins lui permit de se sentir plus libre. Elle avait le choix: demeurer ou non en couple.

Paulette était dépendante émotionnellement de sa mère. Elle tentait constamment d'obtenir son appréciation. Après s'être «cognée le nez» à plusieurs reprises sur le mur du rejet, elle en vint à la conclusion qu'aussi injuste et triste que cela pouvait lui sembler, sa mère ne correspondait pas à l'idéal espéré. Elle en fit un deuil. Après une période de tristesse, elle réalisa qu'elle pouvait devenir maternelle envers elle-même, être le juge de ses comportements, comptabiliser elle-même ses réussites et ses bons coups et satisfaire ses besoins affectifs à l'aide d'un réseau d'amis.

Même dans un contexte où l'on a recours à des professionnels, il importe souvent de conserver le rôle de coordonnateur. Vous êtes la meilleure personne pour prendre les décisions finales à votre sujet. Personne d'autre ne détient toute l'information que vous avez et personne d'autre ne peut décider des valeurs et des choix qui déterminent l'orientation de votre vie. Vous pouvez, par exemple, faire confiance aux ingénieurs pour construire des ponts, aux psychologues pour explorer l'aspect psychologique d'un problème et aux médecins pour soigner vos maladies. Cela n'exclut pas de conserver un esprit critique face à ce qu'ils vous suggèrent et de prendre soin de choisir un professionnel en qui vous pouvez avoir confiance.

4.2) La capacité d'exercer son jugement: de s'organiser, de planifier et de prévoir les conséquences de ses actes

Partiriez-vous en voyage sans carte routière et sans connaissance du terrain, sans vaccin et sans connaissances de la langue du pays, sans information sur la route à prendre et sur les habitudes de vies de l'endroit où vous allez? Conduiriez-vous une automobile sans savoir où se situe le frein et l'accélérateur?

Certaines gens s'engagent dans des voies dangereuses sans connaître les risques en jeu. Il est préférable de retarder une décision jusqu'à ce que l'on ait recueilli l'information qui éclairera son choix. Nul besoin de tout savoir, mais il importe d'être suffisamment averti et ainsi mettre toutes les chances de son côté. La quantité est moins profitable que la qualité. Vingt cartes routières comportant des erreurs ne sont d'aucun secours, mais une seule précise et sans défauts, vous sera d'une aide précieuse. Mieux vaut prendre le temps de s'assurer que votre source d'information est sérieuse.

Plus vous avez d'informations sur ce que vous vivez, plus vous êtes en mesure de faire des choix éclairés. Plus vous en connaissez sur les différentes crises qui se produisent au cours du développement de l'enfant, de l'adolescent et de l'adulte, plus vous avez d'informations sur la santé, la communication, et les relations humaines, plus vous aurez d'outils à utiliser pour améliorer la qualité de votre vie.

Que vous preniez votre information en rencontrant des personnes qui vivent des choses semblables, en lisant, en regardant des films ou la télévision, en discutant avec des amis, vous pouvez être actif dans cette recherche qui vous permet de vivre dans un monde plus riche et plus prévisible.

Conservez un point de vue critique. Utilisez votre logique. Réfléchissez rationnellement tout en tenant compte de vos besoins et de vos désirs. Ne laissez pas les autres devenir juges à votre place.

Avant de consulter un professionnel, vous pouvez prendre soin d'établir une liste de questions. Au besoin, faites-vous accompagner afin que l'autre puisse donner un feed-back sur ce qu'il a compris. Vous pouvez également prendre soin de consulter les associations, institutions, sociétés ou regroupements qui vous fourniront des renseignements reliés à votre problème.

Abordez vos difficultés comme des problèmes à résoudre. Cela vous évitera de les voir comme un amalgame de souffrances insurmontables et indifférenciées.

Lorsque vous pensez à ce qui pourrait se produire, imaginez toutes les alternatives, y compris celles où tout va bien.

Évitez de ne penser qu'aux issues désagréables, y penser vous amène à vivre ces événements à l'avance et à y réagir chaque fois comme si cela était déjà arrivé.

Même lorsqu'aucune solution ne vous vient à l'esprit et que vous êtes tenté de tout abandonner, continuez d'explorer activement les solutions possibles à votre problème. Au besoin, donnez-vous plus de temps. Mieux vaut être un peu en retard sur votre échéancier personnel (souvent arbitraire) que désespéré.

Rappelez-vous les ressources qui pourraient vous aider à affronter la situation et l'aide que vous pourriez obtenir.

Face à un problème, demandez-vous (Fortin et Néron, 1991):

a) Qu'est-ce qui me préoccupe?

b) Qu'est-ce que je veux?

c) Qu'est-ce que je peux faire?

d) Qu'est-ce que cela me donnerait et à quels coûts?

e) Qu'est-ce que je choisis?

f) Est-ce que je peux le faire?

Puis une fois que vous l'avez fait, demandez-vous cette fois:

g) Est-ce que cela a été efficace?

On butte constamment sur des situations imprévues. Dans le cas de personnes atteintes d'un déficit intellectuel, cela s'explique par leurs capacités limitées à faire un plan, à prévoir les conséquences des événements. Pour les personnes d'intelligence normale, il importe d'enlever les œillères pour prendre l'habitude de considérer le monde comme un milieu relativement prévisible où certains agissements amènent certaines conséquences.

Hubert voulait quitter ses études un semestre avant de terminer son baccalauréat en administration. Il n'en pouvait plus et était prêt à travailler dans un restaurant comme plongeur pour fuir le désagrément des études. Il était toutefois conscient des conséquences que ça aurait sur sa vie: moins de chance de trouver un emploi satisfaisant. Ce jugement lui a permis de faire les efforts nécessaires pour compléter ses études. Il s'est toutefois permis de les terminer en deux sessions plutôt qu'une pour tenir compte de sa fatigue.

Notre capacité d'utiliser notre jugement nous amène à choisir les stratégies que nous considérons efficaces.

Imaginez une situation problématique qui vous amènera bientôt à faire un choix difficile et demandez-vous pour chacune des options possibles:

- Qu'est-ce qui va se passer si je choisis cette alternative dans 1 heure, 1 jour, 1 semaine, 1 mois, 1 an, 10 ans?
- Quelles sont les alternatives?

Certains affirment qu'on doit faire confiance à ses sentiments, écouter son corps, suivre ses impulsions. Attention! Votre corps et vos émotions vous trompent parfois cruellement. C'est le cas de l'anxiété qui vous porte à fuir, alors qu'il n'y a aucun danger et qu'au contraire vous avez avantage à affronter l'inconnu pour apprendre et vous développer. C'est aussi le cas de l'excitation sexuelle qui vous porte à croire que rien n'a plus d'importance alors qu'une relation sexuelle impulsive, non protégée, vous expose au SIDA et à l'éclatement de la vie de couple stable dans laquelle vous aviez jusque-là investi beaucoup de vous-mêmes.

La raison et le jugement sont de précieux alliés pour vous aider à voir les enjeux et les risques. Ils vous aident à modifier l'intensité de vos sentiments. L'image du SIDA a aidé plus d'une personne à contrôler ses désirs sexuels et à en diminuer l'intensité. L'image d'un policier qui nous attendait sur la route pour nous enlever notre permis de conduire a aidé plus d'une personne à contrôler la consommation d'alcool avant de prendre le volant.

Notre jugement portera également sur les risques qu'il y a à vivre dans le désordre. S'organiser, cela veut dire aussi gérer son temps, gérer sa vie. Cela implique de s'assurer d'avoir un horaire personnel qui inclut des activités agréables et qui tient compte de ses priorités.

Faites un horaire détaillé de vos activités pendant une semaine et demandez-vous:

- Y a-t-il assez d'activités agréables?
- Assez de contacts humains?
- Assez de temps de repos et de loisirs?
- Quels sont les moments de pression auxquels je dois être particulièrement attentif?

4.3) La capacité de s'adapter

La souplesse, la confiance en sa capacité d'apprendre, la curiosité d'explorer de nouveaux domaines sont autant de ressources précieuses qui peuvent aider à s'adapter à de nouvelles situations. L'existence d'une réponse d'adaptation appropriée dans nos habitudes de vie nous amène à aborder les problèmes avec une plus grande confiance en nos capacités. La capacité de s'adapter à l'environnement en tenant compte de nos besoins permet d'obtenir une vie plus satisfaisante. Il s'agit d'orienter votre vie en fonction des ressources et des contraintes existantes plutôt que de vous orienter seulement en fonction de ce que vous souhaiteriez ou de ce que vous considérez dû. Aussi désagréable, injuste ou révoltante que soit la réalité, il faut souvent accepter le fait que c'est à partir d'elle qu'il vous faudra faire de votre mieux pour augmenter vos chances d'avoir une vie agréable.

Marie fut bouleversée d'apprendre qu'elle devait se faire amputer la jambe. Tous les spécialistes étaient unanimes. Elle dut subir l'opération. Après une période de révolte et de tristesse, elle commença à envisager le port d'une prothèse qui faciliterait ses déplacements et l'aiderait à moins attirer l'attention.

S'adapter, cela peut inclure des efforts pour changer votre environnement, le rendre par exemple plus simple et plus sécuritaire à l'arrivée d'un enfant ou à l'arrivée de sa mère atteinte de la maladie d'Alzheimer. S'adapter, cela peut aussi signifier remettre en question vos attentes pour tenir compte de la situation. En voyage, on peut s'attendre par exemple à avoir une vie moins stable. Pendant une guerre, il serait impérieux de devoir s'attendre à moins bien manger et moins bien dormir.

S'adapter, ce n'est pas nécessairement avoir un comportement «normal», c'est-à-dire un comportement à l'intérieur des limites de ce qui est considéré acceptable pour la majorité de la population. Nos marginaux créatifs, inventeurs, artistes, promoteurs d'alternatives de toutes sortes, ne démontrent-ils pas un grand état de santé mentale? Ils se sont toutefois adaptés suffisamment pour pouvoir interagir avec leur environnement d'une façon féconde.

L'adaptation ne vise pas seulement le fait d'éviter la «maladie mentale». On peut s'adapter à la présence d'une telle maladie. Une fois que l'on accepte que l'on est particulièrement vulnérable au stress, on peut prendre plus de précautions pour satisfaire ses besoins et gérer son stress. Certaines personnes ressortent d'une maladie mentale avec un état de santé mentale amélioré, plus sensibles à leurs limites et plus en paix avec l'organisation de leurs priorités et de leurs valeurs.

De la même façon que les diabétiques ont à suivre un régime alimentaire particulier pour contrôler leur maladie, Lucienne devait s'assurer qu'elle prenait suffisamment de repos. Elle consultait sans délai son médecin s'il lui arrivait de passer plus d'une nuit sans dormir. Ce manque de sommeil représentait pour elle un des signes annonciateurs d'un déséquilibre émotionnel important. L'équipe soignante l'aidait à identifier les causes de stress et, au besoin, elle pouvait avoir recours à une médication.

On peut mettre trop d'énergie à s'adapter. La suradaptation peut devenir un problème de santé mentale. Il est utile d'avoir une pensée autonome et des comportements adaptés à notre individualité. Roger était apparemment très adapté à son milieu jusqu'à ce qu'il devienne très déprimé. Les exigences de son patron, de son épouse et de sa mère empiétaient sur ses besoins. Il a finalement réalisé devoir lui-même imposer des limites pour se faire respecter.

4.4) La capacité de faire des efforts avec persévérance

Vos chances de résoudre les problèmes qui se présentent dépendent en bonne partie de l'effort que vous êtes prêt à fournir pour l'étudier, envisager les différents choix possibles, évaluer leurs coûts et leurs avantages et mettre en application la solution que vous jugez la meilleure. Ces chances augmenteront encore si vous faites confiance en vos capacités et si vous accordez de l'importance à vos buts, de sorte que vous poursuiviez vos efforts de façon soutenue. Il s'agit de persévérer malgré les obstacles afin de vous rapprocher de votre but. Il faut vous donner le temps nécessaire pour constater le fruit de vos efforts.

Certains se comportent comme s'ils allaient à la chasse au lièvre avec un fusil à un coup. S'ils n'abattent pas le lièvre du premier coup, ils ne mangent pas de lièvre. D'autres utilisent un fusil à deux coups... et apportent des munitions pour recharger leur arme. Une fois le lièvre débusqué, il s'agit parfois d'un léger effort supplémentaire pour réajuster son tir et obtenir ce que l'on souhaite.

L'habileté d'établir et de poursuivre des buts avec confiance, sans se laisser décourager par des obstacles permet d'investir sur des objectifs à long terme. Cela demande d'utiliser les stratégies propices à cette démarche à long terme: il s'agit d'un marathon, et non d'un sprint.

L'engagement dans des efforts de longue haleine peut être gratifiant et efficace lorsqu'il est accompagné de la préoccupation de se nourrir de petites satisfactions en cours de route. Pour persévérer, mieux vaut avoir une image claire du but vers lequel on prend plaisir à progresser lentement.

Jean a cherché un emploi pendant des mois. Plusieurs de ses confrères avaient cessé de faire des démarches quotidiennes. Ils n'avaient plus l'enthousiasme qu'il faut déployer lors d'une entrevue. Jean était bien décidé à obtenir un emploi dans son champ d'intérêts. Il considérait chacune des entrevues comme une occasion d'apprendre quelque chose, une étape le rapprochant de l'emploi qu'il décrochera un jour. Ce point de vue l'a aidé à conserver de l'intérêt en sa démarche et à maintenir son niveau d'énergie en entrevue.

4.5) La capacité d'atteindre un certain niveau de compétence

L'exercice de nos facultés physiques et intellectuelles en vue d'exécuter un travail efficacement a un impact réel sur l'environnement et a plus de chance de le modifier pour satisfaire nos besoins. Il est souhaitable d'avoir au moins un domaine où nous avons développé une compétence particulière. Les efforts fournis dans ce domaine nous serviront de modèle lorsque nous aborderons un nouveau domaine. C'est ainsi qu'une fois qu'il a réussi à apprendre à jouer aux échecs ou à jouer de la guitare, un adolescent peut entreprendre avec plus de confiance de nouvelles tâches sachant qu'il est capable d'assimiler de nouvelles notions.

Parmi les ressources utiles à l'exécution d'une performance, la capacité d'apprendre est précieuse car elle peut être utilisée dans différents domaines. La compétence validée par le feed-back de l'environnement permet d'obtenir les avantages reliés au rôle qui est en jeu. En plus de la reconnaissance sociale et de la contribution à l'estime de soi, tenir un rôle social permet d'avoir accès à des avantages sociaux et monétaires qui récompensent les efforts de l'individu. Cette récompense et cette reconnaissance interagissent avec l'estime de soi et l'augmentent.

Notons que l'on peut aussi être compétent dans différents domaines moins reconnus, sinon dévalorisés par la société. Je peux être un voleur compétent, un tricheur habile, un menteur hors pair, etc. Ce type de compétences peut sembler efficace à court terme mais il amène des risques importants (règlements de compte, prison) et s'avère inefficace à moyen et long terme. Il entraîne souvent l'éloignement des personnes de l'entourage.

Face aux pressions sociales résultant de leurs échecs, certains se valorisent dans la déviance. Je crois qu'il peut être très satisfaisant d'être différent, exceptionnel, à part. Il est toutefois habituellement souhaitable de pouvoir l'être par choix, en fonction de ses valeurs, plutôt que par incapacité de faire autrement. Là comme ailleurs, il est préférable d'avoir un choix.

4.6) L'espoir de pouvoir obtenir la satisfaction de ses besoins et de ses désirs

Certains individus se comportent comme s'ils vivaient constamment une pénurie d'affection, d'attention, d'amour. Ce pouvait être le cas lorsqu'ils étaient enfants, mais pas obligatoirement aujourd'hui. Il est utile de se souvenir de ses ressources et de l'assistance que l'on peut avoir.

Identifiez vos besoins. Faites en une liste et évaluez lesquels sont insatisfaits. Compte tenu de vos priorités, choisissez lesquels parmi ces derniers méritent le plus d'importance. Cela vous permettra d'élaborer des moyens de les satisfaire prioritairement. Vous pouvez vous inspirer de la liste suivante qui vous donne des exemples de besoins.

Exemples de besoins

- Manger
- Boire
- Se reposer
- Chaleur
- Sécurité
- Stabilité
- Protection
- Structure
- Ordre
- Limites
- L'appartenance (famille, groupe)
- Aimer
- Être aimé
- Relations intimes
- L'amitié
- La sexualité
- Force
- Maîtrise
- Compétence
- Confiance en soi
- Indépendance
- Réalisation
- Reconnaissance sociale
- Contrôle

- Valeur personnelle
- Dignité
- Appréciation
- Utilité
- Se développer
- Réaliser son potentiel
- Curiosité
- Apprendre
- Comprendre
- Expliquer
- Recherche de la vérité
- La bonté
- La beauté
- Se sentir en vie
- Être unique
- La justice
- La simplicité
- Le jeu
- Le calme
- Une vie spirituelle, religieuse ou mystique

Les auteurs présentent des hypothèses différentes quant à ce qui constitue les besoins de base (Lewin, 1967; Maslow, 1954; Murray, 1953; Saint-Arnaud, 1974). Ce n'est pas notre intention d'entrer dans ce débat. Il vous revient de faire votre propre théorie de ces besoins. Vous seul savez en fonction desquels vous souhaitez décider de vivre. Veillez à les satisfaire dans la mesure du possible.

4.7) La capacité de faire des choix librement (identité personnelle)

On peut avoir l'impression qu'en laissant son bateau suivre le courant, on réalise une économie d'énergie: cela n'est pas exact si le courant éloigne de la destination. Cela dépend de la direction que vous voulez prendre. Il semble plus simple, en forêt, de suivre le sentier battu, mais s'il ne mène pas au bon endroit, il est plus profitable d'en défricher un nouveau. Un effort initial doit être fourni et il est tentant de reprendre le chemin habituel, mais en persévérant, vous obtiendrez un deuxième passage, aussi commode, conduisant où vous désirez aller. À la longue, vous économiserez temps et énergie.

Chacun d'entre nous doit un jour ou l'autre déterminer en fonction de quelles valeurs il souhaite vivre. Pendant notre enfance, nous avons assimilé, sans nous en rendre compte les règles établies plus ou moins consciemment par nos parents. À l'adolescence, nous avons été amenés à les remettre en question. Le développement de notre identité passe par cette remise en question de l'héritage familial. Une valeur n'en est une que si elle possède les sept caractéristiques suivantes (Bradshaw, 1988; Simon, S. B., Howe, L. W., et Kirschenbaum, 1972):

- Être choisie librement.
- Être choisie suite à la considération d'un ensemble d'alternatives.
- Être choisie avec une connaissance précise de ses conséquences.
- Être estimée et chérie.
- Être annoncée ou reconnue publiquement.
- S'exprimer par des gestes.
- S'exprimer par des gestes à plusieurs reprises.

La vie ne doit pas répéter les mêmes erreurs ou être une copie conforme de ce que vos parents souhaitaient pour vous.

Vous pouvez décider de votre propre vie. Cessez de faire ce qui n'est pas efficace. Vous pouvez développer votre propre identité en vous méfiant du «prêt à penser» qui vous est offert. Face à une situation demandez-vous: qu'est-ce que j'en pense, moi?

Le développement de l'identité, c'est aussi l'apprentissage des différents rôles sociaux que l'on a à jouer. Un rôle, c'est un ensemble d'actions dirigées vers un but, façonnées par la culture, pour un échange dans une situation ou un groupe social. Cela demande de «jouer le jeu» d'une façon suffisante pour pouvoir interagir au sein de notre société. Nous avons tous différents «chapeaux» à porter: mari, fils, père, professeur, payeur de taxe, électeur, public de théâtre, etc...Dans chacun de ces rôles, nous avons appris un ensemble de comportements régis par des codes implicites qui nous permettent d'interagir d'une façon prévisible avec des inconnus de même culture. Cette complémentarité nous permet de satisfaire différents besoins dont celui d'appartenance. Comme nous l'avons déjà mentionné, le fait de connaître les règles de ce «jeu social» ne nous oblige pas à les suivre. Nous avons alors le choix de «jouer le jeu» ou de nous en retirer, quitte à en assumer les conséquences.

4.8)   La capacité de se défendre

Vous pouvez vous apprécier, rechercher les plaisirs de la vie, faire des efforts pour améliorer votre existence mais vous effondrer lorsque vous êtes confronté aux actions des gens qui, volontairement ou non, vous attaquent ou vous bousculent. Les autres peuvent vous frustrer ou vous nuire accidentellement en cherchant à satisfaire leurs propres besoins. Ils peuvent aussi chercher à profiter de vous à dessein. Il existe malheureusement des personnes «toxiques» qui empoisonnent la vie de leur entourage. Pour conserver un état de santé mentale, il importe d'être capable de défendre son intégrité psychologique.

Il est possible de se défendre sans devenir agressif ou insolent (Boisvert et Beaudry, 1979; Chalvin, 1980; Gordon, 1977; Smith, 1975). L'élément clé consiste à se rappeler que l'on veut exprimer son point de vue, ses émotions, et ses idées tout en respectant le droit des autres à exprimer les leurs. Ils réagissent à leurs croyances, selon leurs valeurs et les informations à leur disposition. Vous n'avez aucunement à leur donner la permission de vous insulter ou de vous ridiculiser. Afin de maintenir votre propre estime, il importe de ne pas vous laisser traiter comme si vous n'aviez aucune importance ou aucune valeur. À force de se laisser traiter comme une guenille, on en vient à se sentir comme si on en était une. Il importe, lorsque vous vous sentez traité injustement, de manifester votre désaccord.

Face à une demande insistante ou à une critique, répondez d'abord de façon directe et polie. Par exemple: «Non, je ne suis pas disponible pour garder tes enfants ce soir», «Ce n'est pas moi qui ai renversé la cafetière samedi soir» ou «Je comprends que tu as eu de mauvaises expériences avec les hommes, mais je ne t'ai fait aucune menace et je n'ai jamais eu l'intention de profiter de toi». Au besoin, répétez calmement ce que vous avez à dire. Cela ne sert à rien de sortir un canon pour tuer une mouche. La situation ne deviendra probablement pas aussi pénible que ce que vous imaginez. Quand vous vous sentez menacé, demeurez le plus détendu possible. Prenez le temps de penser à ce que vous allez dire, mais ne restez pas muet pour éviter les querelles. Vous devez réagir pour être respecté et en pratiquant vos habiletés de communication, vous pourrez réagir en écartant la plupart du temps les escalades verbales douloureuses qui gaspillent beaucoup d'énergie inutilement.

Évitez toute exagération. Le découragement, la rage ou les pitreries ne feront que nuire à la communication. Concentrez-vous pour obtenir le maximum d'échanges utiles avec un minimum d'efforts. Ce n'est pas le temps de mêler à cette situation vos propres reproches ou de ressortir toutes vos demandes ou insatisfactions. Réglez d'abord la situation présente.

Voyons quelques types de situations qui peuvent vous demander de mobiliser vos moyens de défense. Vous pouvez, par exemple, devoir vous défendre contre une invasion de votre vie privée, contre une attaque à votre valeur, contre une exigence ou encore contre des irritants répétitifs.

Commençons par l'invasion de votre vie privée. Face à ce genre d'intrusion, vous pouvez simplement répéter que vous considérez que cela relève de votre vie personnelle et que vous n'en parlerez pas en public. Il suffit souvent de répéter cette affirmation. Josée était très surprise de constater que ses compagnes partageaient des détails intimes de leurs vies de couple mais ne voulait pas en faire autant. Elle se contentait de leur dire «Je ne vous parlerai pas de cela, je considère que c'est trop personnel.» Malgré leur surprise et leurs moqueries initiales, elles finirent par accepter cette limite.

Certains hommes profitent de la gêne des femmes pour suggérer des images sexuelles contre lesquelles elles n'osent pas se défendre. Que répondre à un homme qui vous interroge en vous demandant ou vous suggérant:

– Pour avoir de si beaux enfants, tu dois bien faire l'amour.

– Tu dois aimer faire l'amour avec ton ami.

– Est-ce que vous vous entendez bien sexuellement?

– Tu dois être belle lorsque tu jouis.

Les valeurs diffèrent au sujet du partage du vécu sexuel, mais il est primordial d'avoir le choix d'exprimer son désaccord à ces commentaires intrusifs si on le désire. Cela ne sert à rien de se taire en voulant paraître l'esprit ouvert alors que vous vous sentez victime de violence verbale et d'abus. Vous pouvez exprimer votre désaccord en disant:

– J'aimerais mieux que vous changiez de sujet.

– Je ne veux pas parler de sexualité avec vous.

– Cessez de me parler de sexualité.

Vous pouvez commencer par un message poli et ferme, mais lorsque l'autre ne comprend pas, vous pouvez devenir plus énergique. Rappelez-vous votre droit de faire des plaintes officielles et des démarches légales. Faites respecter vos droits. Vous le méritez.

Face à une attaque que vous percevez comme une menace à votre valeur, prenez soin de demeurer votre propre juge. Si ce qui vous est reproché est faux, niez directement, avec persistance, et en évitant de contre-attaquer. Si l'on insiste, vous pouvez choisir de suggérer de voir la situation autrement ou de donner une information pouvant expliquer ce qui s'est produit. Ronald traitait sa femme d'incompétente parce que le budget ne balançait pas ce mois-ci. Son épouse lui rappela énergiquement qu'elle avait bien rempli cette tâche. Elle lui rappela que la fuite d'eau qui s'était produite à la salle de bain avait nécessité une dépense importante et imprévue. Elle ajouta d'ailleurs qu'elle regrettait qu'il aborde ce sujet en mettant en doute sa compétence et qu'elle souhaitait qu'à l'avenir il prenne toute l'information nécessaire avant de porter des jugements aussi catégoriques. Ronald admit sa maladresse et s'excusa, évoquant le stress que les problèmes financiers lui créaient. Ensemble, ils purent réaménager temporairement leur budget.

Si malgré ces informations, l'autre continue à vous accuser, vous pouvez demander calmement si vous avez fait autre chose de déplaisant et l'assurer que vous tenez à connaître ce que vous avez pu faire qui lui ait été désagréable. Ainsi, vous évitez que l'autre tente de vous manipuler ou de vous écraser en insistant sur une erreur ou un défaut. Cela lui donne la parole et peut lui permettre de dévoiler une préoccupation importante qui se cachait derrière la critique. Mieux vaut être au courant de la nature réelle du problème. Étonné de l'insistance de son épouse de justifier une dépense sur sa carte de crédit et malgré plusieurs efforts pour tenter de la rassurer sur ses capacités à gérer ses finances, Roger lui demanda finalement si autre chose la préoccupait à son sujet. Cela permit à Johanne de lui exprimer ses doutes quant à sa fidélité. La conversation prit alors un tout autre cours, plus fructueux cette fois.

Lorsque quelqu'un insiste pour vous attribuer un défaut ou la responsabilité d'une faute, vous pouvez montrer vos sentiments face à son insistance et lui demander directement de cesser d'insister sur ce point. Si les accusations persistent, vous pouvez mettre fin à la conversation le plus calmement possible.

Il arrive que les reproches soient justifiés. Vous pouvez alors admettre votre erreur d'une façon claire en indiquant toutefois que vous ne vous jugez pas pour autant mauvais ou incompétent. Faire une erreur ne vous dépouille pas de vos qualités. Cela signifie que vous êtes un être humain qui a encore des choses à apprendre.

Vous êtes tellement occupé que vous oubliez un rendez-vous. Plus tard, votre ami vous dit: «Tu m'as oublié. Tu m'as fait attendre longtemps.» Vous pouvez alors répondre: «Tu as raison, je t'ai complètement oublié hier. Je m'excuse. Je n'aime pas cela moi non plus et ne n'ai pas l'habitude de t'oublier ainsi. Cela ne se reproduira plus.»

S'il s'agit d'une habitude, c'est à vous à décider de la changer ou non et vous pouvez le dire. Si vous désirez y remédier, vous pouvez répondre: «Tu as raison, il m'arrive d'oublier des rendez-vous et j'essaie, autant que possible, d'être moins distrait.»

Si vous ne voulez pas corriger cette habitude, vous pouvez indiquer clairement que vous ne répondrez pas à ce que l'autre attend de vous en disant par exemple: «Tu as raison, il m'arrive souvent d'oublier; c'est bien dommage mais vu la situation où j'étais, je pouvais difficilement faire autrement.» Il s'agit donc de reconnaître votre erreur et de manifester que cela ne lui donne pas le droit de tenter de vous écraser pour autant.

Si l'occasion s'y prête, vous pouvez également offrir de réparer votre faute en prévoyant une nouvelle rencontre à une heure qui convient à votre ami.

Il est fréquent que des individus exigent qu'on règle leurs problèmes pour eux. Il vous revient d'accepter ou de refuser votre aide. Il faut se méfier des manipulateurs. Voyez comment Jeannette s'est tirée d'affaire en une telle situation. Un jour qu'Aline lui a demandé, une fois encore de l'accompagner pour un achat urgent, Jeannette se contenta de répondre: «Non, je n'irai pas te reconduire. Je suis occupée cet après-midi» puis ajouta: «Tu peux demander à Robert, ou appeler un taxi mais moi, je n'irai pas te reconduire. Je comprends que tu veuilles aller au centre d'achat et que c'est urgent pour toi, mais j'ai d'autres projets et je n'irai pas te reconduire.» En de telles circonstances, nul besoin de vous justifier, vous êtes le propre juge de vos actions.

Face à des irritants répétitifs, vous pouvez choisir d'investir le minimum d'énergie. Certaines personnes adressent des reproches pour des peccadilles ou sur des sujets qui ne les regardent pas, et ce, répétitivement. D'autres insistent sur vos fautes pour vous blesser. Il vaut mieux ne pas accorder trop d'importance aux gens qui évaluent négativement l'ensemble de ce que vous faites. Une bonne façon de leur répondre, c'est de ne pas offrir de résistance et de ne rien ajouter, ne donnant ainsi aucune prise; l'autre se fatiguera. Il s'agit donc de se montrer vaguement d'accord avec des reproches sans consistance, tout en évitant d'y accorder trop d'importance.

Réagissez en tenant compte de l'importance de la situation en jeu, ainsi que de la place de la personne dans votre vie. Cela ne vaut peut-être pas la peine de convaincre l'automobiliste coincé sur l'autoroute qu'il n'a aucune raison de vous crier des bêtises. Vous ne le reverrez probablement jamais et il n'est peut-être pas à son meilleur pour vous écouter. La situation est différente si votre conjoint vous adresse des commentaires blessants et dévalorisants de façon répétée. Ceci constitue une réelle menace à votre intégrité émotionnelle. Mieux vaut lui demander clairement de changer et remettre en question votre vie avec quelqu'un qui vous détruit à petit feu.

Si votre interlocuteur est en colère, conservez votre calme et montrez-lui que vous comprenez qu'il est fâché et que vous êtes prêt à discuter, pourvu qu'il se calme. Vous pouvez dire doucement: «Je comprends que tu sois fâché. Je suis prêt à en parler mais je voudrais d'abord que tu sois un peu plus calme. Sinon il est très difficile de se comprendre.» Votre but n'est pas de faire la morale en soulignant que son agression est inacceptable. Vous pourrez revenir plus tard sur ces remarques. Au moment de la crise, il faut faciliter la communication en créant un climat moins tendu. Une personne en colère est habituellement peu capable d'écouter et de comprendre. Il est alors inutile et parfois même dangereux de lui parler tant qu'elle demeure agressive. Évidemment, si elle devient menaçante, il vaut mieux s'éloigner et revenir plus tard.

Si vous avez à échanger avec quelqu'un dont vous craignez le potentiel de violence, prenez soin de vous procurer le minimum de sécurité pour atteindre votre but. Vous pouvez choisir un endroit public comme lieu de rencontre, vous faire accompagner, ou limiter le temps de votre rencontre en prévoyant que quelqu'un vienne vous chercher.

Vous méritez de prendre soin de vous-même. Rien ne peut justifier le fait de tolérer une situation où vous seriez violenté régulièrement par quiconque. C'est un prix trop élevé à payer, quelqu'en soit le bénéfice. Yolande vivait depuis plusieurs années avec un mari alcoolique qui la battait lorsqu'il était sous l'effet de l'alcool. Il ne participait à aucun des traitements qui lui étaient offerts et réussissait chaque fois à convaincre Yolande qu'il regrettait sincèrement ses gestes. Elle disait trop l'aimer pour le quitter. Lorsque je lui demandais où se situait son seuil de tolérance, toujours elle poussait plus loin sa limite. Elle le quittera s'il lui ment, ensuite si les coups laissent des marques, puis si elle doit consulter un médecin pour blessures, etc. Yolande s'est décidée à partir au moment où elle a réalisé que cette violence perturbait sa fille. Elle craignait pour la sécurité de son enfant et ne voulait pas par cette indulgence lui inculquer qu'il est acceptable d'être ainsi traitée.

Certains croient fermement qu'il y a en chacun de nous quelque chose de fondamentalement bon qui ne demande qu'à s'épanouir au contact d'un environnement chaleureux et compréhensif. Si l'autre semble profiteur, abusif, violent, c'est qu'il n'a pas eu suffisamment de chaleur et de compréhension et que s'il a assez d'amour, tout ira bien. Ce genre de croyance risque d'amener les personnes naïves à être victime d'abus fréquents. Même si l'on accepte l'hypothèse que les personnes violentes ou abusives le sont parce qu'elles ont été elles-mêmes victimes d'abus, cela ne signifie aucunement que nous ayons les moyens de les transformer en personnes agréables à fréquenter. Il est d'ailleurs loin d'être certain qu'elles désirent changer: certaines personnes trouvent très satisfaisant un mode de vie axé sur l'exploitation, l'abus, la violence, la terreur, la colère et la rage. Elles profitent, volontairement et en toute connaissance de cause de leur entourage pour rejouer des scénarios destructeurs qu'elles n'ont aucunement le goût de changer. Elles sont convaincues qu'il s'agit d'une façon efficace de vivre et trouvent toujours quelques «bonnes» personnes pour jouer les rôles complémentaires de leur vie. Il existe des personnes toxiques qui risquent d'empoisonner votre vie. Malgré tous vos efforts, elles ne changeront pas car elles croient avoir avantage à demeurer ainsi. Elles sont capables de vous faire sentir coupable, de vous rendre anxieux et mal à l'aise dans le but de vous forcer à satisfaire *leurs* besoins. Ne croyez pas qu'elles vous avoueront d'emblée leurs défauts. Elles mentiront, plutôt, pour se présenter sous un jour favorable pour vous utiliser. Comment identifier ces personnes toxiques?

- Identifiez les personnes qui vous laissent après une rencontre des sentiments de culpabilité, de malaise, d'épuisement, de dévalorisation.

- Identifiez les gens qui vous poussent constamment à faire ce que vous ne vouliez pas faire afin de satisfaire *leurs* besoins.

- Identifiez les gens qui vous poussent à agir à l'encontre de vos valeurs personnelles.

- Tenez compte de l'information que vous avez de leur entourage. Profitent-ils des autres ou les traitent-ils avec respect?

- Fiez-vous à votre expérience. Avez-vous l'évidence qu'elles sont peu sensibles à la souffrance d'autrui, peu respectueuses de ses droits?

Richard se présentait comme quelqu'un de doux et parlait de son amour du calme, de la paix et de l'amitié mais brutalisait son chien d'une façon inacceptable. Tout en évitant de généraliser à l'excès, il s'agit tout de même d'une attitude qui peut nous amener à nous poser des questions sur la profondeur de son engagement à la douceur.

Il ne s'agit pas ici de vous enfuir en courant chaque fois que vous êtes témoin d'un événement qui peut être interprété comme un indice de toxicité de la personne. Il est pertinent de vérifier ces hypothèses, d'observer leur effet sur vous, de formuler des demandes de changement. Je veux simplement vous inviter à garder à l'esprit qu'il doit y avoir une limite aux sacrifices à faire, une limite aux mensonges, tromperies, agressions que vous avez à subir avant de vous convaincre d'éviter certaines personnes.

4.9) La capacité de se contrôler

Certains se comportent comme des robots dont les boutons de contrôle seraient à l'extérieur d'eux-mêmes: il suffit qu'on appuie sur un bouton (accélérateur, volume ou température) et ils se mettent à aller trop vite, à parler trop fort ou à s'échauffer et à bouillir. Un enfant peut les faire valser en appuyant sur les points sensibles. Une personne en bonne santé a la majeure partie du tableau de bord à l'intérieur d'elle-même. Elle peut déterminer seule la nature de ses réactions en fonction de ses objectifs. Cet auto-contrôle s'exerce au niveau des comportements, mais aussi des pensées, des images et des réactions émotionnelles et corporelles. Tous ces éléments sont reliés. Examinons brièvement en quoi ils le sont en période de dépression, d'anxiété et de colère, puis nous présenterons des moyens de les contrôler.

4.9.1) *Surmonter la dépression*

Qu'est-ce que la dépression?

Aaron T. Beck, M.D. (1967; 1976), un des pionniers dans le domaine de la psychothérapie cognitive, présente le patient déprimé comme quelqu'un qui a une faible estime de soi qui l'amène à s'auto-dévaloriser, une tendance à se critiquer, une sensation de manque, une perception distortionnée des problèmes et de ses devoirs qu'il voit magnifiés, une tendance à se donner des ordres ou des commentaires désobligeants et à avoir des fantaisies de fuite ou de suicide. C'est un état d'esprit caractérisé par l'abattement, la dévalorisation de soi, le sentiment que le monde est hostile et par une vision pessimiste de l'avenir.

La personne déprimée se perçoit comme déficiente, inadéquate ou indigne et tend à attribuer ses expériences déplaisantes à un déficit personnel d'ordre physique, mental ou moral. Les stratégies portant sur l'estime de soi qui vous ont été suggérées au début de ce livre vous aideront à être positivement attentif à vos ressources et à vos forces. La personne déprimé anticipe le fait que ses difficultés courantes et ses souffrances actuelles se poursuivront indéfiniment. L'avenir est envisagé comme une suite interminable de frustrations et de pertes. L'utilisation de la raison l'aidera à avoir à l'esprit la possibilité d'un futur plus réaliste qu'elle peut contribuer à améliorer dès maintenant. La personne déprimée tend à percevoir le monde comme lui faisant des demandes exorbitantes et lui présentant des obstacles infranchissables à la réalisation de ses buts personnels. Ses interactions avec l'environnement représentent pour elle une défaite, une perte ou une dépréciation. Sa vie lui apparait une succession de fardeaux, d'obstacles et de situations traumatisants. Une perception plus réaliste de l'environnement inclurait une perception des événements agréables et valorisants, faisant la différence entre ce qu'elle imagine et ce qui est là, l'incitant à être active pour atteindre des objectifs réalistes et ainsi progressivement obtenir de petits succès (Beck, 1967; 1976; Emery, 1982; Fortin et Néron, 1990).

Votre pensée joue donc un rôle majeur dans l'établissement de ces symptômes. Par exemple, si vous pensez, — à tort ou à raison — que les gens ne vous aiment pas, vous vous sentirez triste croyant avoir perdu leur affection. À sa retraite, Georges avait cessé de fréquenter ses enfants parce qu'il croyait qu'il les dérangeait. Il se trouvait ennuyant. Le fait de reprendre contact avec eux lui a permis de constater qu'il était le bienvenu. Si vous pensez que vos tâches sont trop difficiles, vous n'essaierez plus de les faire. Plus vous les éviterez, plus votre travail en souffrira. Si vous pensez qu'on vous humiliera ou vous critiquera, vous vous sentirez découragé et vous vous isolerez. Si vous pensez que vous ne pouvez en aucune circonstance prendre la bonne décision, vous deviendrez indécis.

Certains signes physiques tels l'insomnie et la perte d'appétit accompagnent les autres symptômes de la dépression. Ils deviennent eux-mêmes sources de dévalorisation et entretiennent un point de vue dépressif. Lorsque l'on devient passif, on utilise souvent son manque de réalisations comme preuve de sa nullité. Vous êtes entraîné dans un cercle vicieux. Vous avez des pensées négatives qui favorisent les symptômes de la dépression qui, à leur tour, engendrent encore plus de pensées négatives.

La plupart des gens considèrent la dépression comme un désordre émotionnel, les principaux symptômes étant d'intenses sentiments de tristesse. Toutefois, elle est aussi un trouble de la pensée. La pensée et les émotions étant étroitement associées, le fait de modifier l'un entraîne un dérèglement de l'autre. Cela s'avère une bonne nouvelle. En effet, bien qu'il soit difficile de changer directement vos émotions, vous pouvez, avec de la pratique, apprendre à changer votre mode de pensée. Sans que nos pensées ne causent nécessairement des symptômes, elles y sont étroitement associées. Le fait de les modifier améliore également les problèmes physiques, émotionnels et comportementaux. La recherche a démontré qu'en changeant systématiquement vos pensées, vous pouvez contrôler vos symptômes et éviter des dépressions futures.

Les personnes déprimées tirent souvent une conclusion en l'absence d'évidence supportant celle-ci ou même en la présence de données contraires à cette conclusion. Mylène parle avec un confrère de travail et se dit: «Il pense que je ne vaux rien». Elle se sent alors triste. À l'investigation, elle réalise qu'il n'y a aucun fait qui justifie cette pensée. Au contraire, elle se souviendra qu'il lui a déjà fait des compliments sur certains de ses dossiers.

Les personnes déprimées se concentrent souvent sur un élément en ignorant les autres faits possiblement plus importants de la situation. Ils se font alors une image globale de l'ensemble de la situation sur la base de cet élément isolé. Nicole reçoit constamment des marques d'attention et d'affection de son mari mais elle ne remarque que le moment où il ne vient pas à sa rencontre à son retour du travail. Elle oublie tous les autres moments où il est affectueux et attentionné.

Les gens déprimés tirent parfois une conclusion générale au sujet de leurs habiletés, de leur rendement, ou de leur valeur sur la base d'un seul incident négatif. Jacynthe se sent une mauvaise mère parce que sa fille crie au supermarché. Elle aurait avantage à identifier ses exigences exagérées à l'effet que pour être une bonne mère, son enfant devrait toujours être calme et obéissant, partout et en tout temps. Il s'agit d'une croyance irréaliste. Elle oublie de tenir compte de toutes les fois où elle a agi en bonne mère, de toutes les autres explications que l'on peut donner au fait que l'enfant crie (Ex.: il est fatigué), et du fait que même si parfois son enfant n'est pas parfait, cela ne signifie nullement qu'elle n'est pas une bonne mère. Méfiez-vous des croyances irréalistes rigides qui tentent de vous imposer des règles de vies inhumaines parsemées de: «toujours», «jamais», «absolument», etc.

Certaines personnes déprimées ont tendance à sous-estimer leurs capacités et leurs potentiels et à surestimer l'ampleur de leurs problèmes et de leurs obligations. Julien considérait que son auto était une perte totale alors qu'elle avait à peine une égratignure. Il considérait également qu'il était à peine tolérable au travail alors qu'il était grandement apprécié. Il amplifiait son problème en y pensant en termes dramatiques. Il interprétait un simple commentaire de son patron comme un «passage à tabac». Il se disait qu'il avait «mangé une volée». Ces pensées et ces images augmentaient sa détresse.

Les personnes déprimées peuvent aussi avoir l'impression qu'elles sont concernés par un événement externe alors qu'il n'y a aucune base leur permettant d'établir une telle relation. Georges interprétait le fait que le voisin tondait son gazon tôt le matin comme un reproche sur le fait qu'il entretenait mal son terrain.

Un autre mode de pensée qui rend plus difficile le fait de sortir d'un état dépressif consiste à classer les possibilités en terme de deux opposés absolus (blanc ou noir, merveilleux ou horrible, bien ou mal, dangereux ou sécuritaire, douloureux ou plaisant). Jacques croyait que s'il n'obtenait pas des notes supérieures à 90%, il était sans valeur, un raté. Une note au-dessus de ce pourcentage lui donnait au contraire la sensation d'être un excellent étudiant et amenait une sensation d'exaltation. Il lui arrivait toutefois beaucoup plus souvent de ne pas réussir à atteindre cette note. Cela avait un effet dévastateur sur son moral. Il se sentit beaucoup mieux lorsqu'il constata qu'il pouvait nuancer ses jugements, introduire des critères d'évaluation intermédiaires incluant la possibilité d'être humain, d'obtenir parfois des résultats passables, assez bien, bien, très bien, et que c'était acceptable, qu'il pouvait tout de même s'aimer.

Combattez les pensées et les images inexactes ou dommageables en leur adressant les questions suivantes:

– Quel est la preuve que l'hypothèse que j'ai en tête est exacte? Quelle est l'évidence? Qu'est-ce qui le prouve?

– Quelles sont les autres façons de voir? Comment mes amis verraient-ils cela? Comment est-ce que je verrai cela lorsque je serai en forme?

– Quel est le pire qui puisse se produire?

– Qu'est-ce que je peux faire dans cette situation? Quels sont mes ressources et mes choix?

Certaines personnes de votre entourage peuvent encourager une réaction dépressive. Claire était agressive et autoritaire face à Robert. Chaque fois qu'il exprimait un désaccord ou remettait ses désirs en question, elle criait et le menaçait de le quitter. Lorsqu'il se mettait à pleurer, elle devenait douce et compréhensive. Elle l'encourageait ainsi indirectement à demeurer dépressif plutôt que d'exprimer ses insatisfactions et sa colère. Demandez-vous si votre tristesse vous amène beaucoup de bénéfices secondaires et recherchez d'autres moyens de les obtenir. Si votre dépression vous permet d'éviter certaines situations qui vous font peur, donnez-vous le défi de les affronter progressivement selon le degré d'énergie disponible, en ayant des attentes réalistes quant à ce que vous pouvez réaliser pour l'instant. Ne laissez pas utiliser votre état pour demeurer immobile trop long-temps. Donnez-vous le défi de faire de petits pas.

Certaines personnes sont dépressives parce que leurs besoins fondamentaux sont insatisfaits. Elles ont avantage à apprendre comment satisfaire leurs besoins de base. Alain ne sait pas comment aborder une fille. Adolescent, il n'a pas eu l'occasion de développer ses habiletés sociales. Il a d'abord dû apprendre à choisir d'approcher les personnes qui donnaient des indices verbaux et non-verbaux de disponibilité, soit vers les garçons et les filles qui le regardaient et lui souriaient. Il est devenu par la suite plus habile à débuter et à maintenir une conversation en prenant de plus en plus fréquemment l'initiative des contacts. Il a pris de petits risques. Il a eu ainsi de petits succès qui l'ont encouragé à poursuivre ses efforts. Il s'est permis d'utiliser des clichés pour indiquer son intérêt à discuter: il parlait de la température, de bruits environnants, de ce qui se passait autour de lui. Il a développé ses habiletés à poser des questions ouvertes (Comment...? Qu'est-ce qui...?) auxquelles on ne peut répondre par un oui ou par un non. Il obtenait ainsi des réponses plus longues. Il écoutait attentivement ce que l'autre avait à dire, en le regardant. Il donnait de l'information sur lui-même et utilisait celle que l'autre lui fournissait au cours de la conversation pour aller plus loin. Avec la pratique, il a appris à ne pas aller trop vite. Il devenait plus personnel à mesure qu'il connaissait mieux l'interlocuteur. Mieux vaut développer les habiletés nécessaires pour satisfaire nos besoins. Cela nous aide à éviter de nous retrouver isolé, frustré, sans énergie.

Certaines personnes deviennent déprimées parce qu'elles ne réussissent pas à défendre leur droit d'être traitées avec respect et de satisfaire leurs besoins. Juliette était envahie par les demandes incessantes de sa mère, de son époux et de ses enfants adolescents. Il ne lui restait plus de temps pour ce qu'elle aimait. Lorsque je le lui ai demandé ce qu'elle avait fait d'agréable au cours des dernières semaines, elle pleura en constatant qu'elle ne savait même plus ce qu'elle aimait faire. Elle avait oublié ses besoins. Elle a fait d'importants progrès au moment où elle découvrit qu'elle pouvait dire «non» sans être blessante ou impolie. Elle s'assura d'abord d'être certaine de comprendre la demande de l'autre et au besoin, elle la résumait, répondait de façon directe et polie en prenant bien soin d'être le juge de ses propres comportements. Consciente du fait qu'elle était la mieux placée pour juger de ce qu'il fallait faire et de ce qu'elle avait déjà fait, elle pouvait refuser ce qu'elle ne voulait pas faire et au besoin répéter calmement son refus. Lorsque l'occasion s'y prêtait et qu'elle avait l'énergie, elle pouvait choisir de suggérer des solutions alternatives pour assister la personne qui avait des problèmes, sans prendre toutefois la responsabilité de les résoudre pour elle. Il lui arriva de retarder une décision pour pouvoir y réfléchir à tête reposée, loin des pressions de son entourage. Lorsque les gens insistaient trop, elle exprimait ses sentiments et s'ils continuaient, elle n'hésitait pas à demander un changement de comportement afin d'obtenir plus de respect. Ces stratégies l'ont aidée à sentir qu'elle mérite d'avoir une vie intéressante. Comme bien d'autres, elle fut moins hantée par des idées suicidaires ou des interrogations sans fin sur le sens de la vie, une fois ses besoins satisfaits. Elle fut, de plus, étonnée de constater que les gens ne l'aimaient pas moins. Au contraire, ils appréciaient qu'elle ait plus d'énergie et qu'elle soit plus intéressante lorsqu'elle choisissait de leur consacrer du temps.

Certains comportements de personnes déprimées, particulièrement les interminables complaintes, peuvent éloigner les gens, ce qui les isole et augmente leur désarroi. Suite à sa séparation, Sylvain parlait sans cesse de son épouse. Cela a finalement irrité ses amis qui en sont venus à ne plus vouloir le rencontrer. Il éloignait également toutes les femmes qui auraient pu s'intéresser à lui. Mieux vaut alors choisir un confident fiable à qui l'on peut parler de nos préoccupations et avec qui l'on peut partager son découragement occasionnel, et mettre une certaine énergie à demeurer parfois d'agréable compagnie.

Suite à des échecs répétés, certaines personnes perdent graduellement la motivation à agir et entrent dans un état de passivité caractérisé par un sentiment d'impuissance. Elles ont l'impression que quoi qu'elles fassent, cela n'aura aucun impact sur leur vie. Elles se croient à la merci du hasard, des autres, de Dieu, etc. Après six mois de recherche, Jocelyne a échoué dans ses tentatives répétées de se trouver un emploi. Elle a abandonné, est demeurée chez elle à regarder la télévision et à manger. Elle était de moins en moins capable de sortir de la maison, n'entrait plus dans les vêtements qu'elle aurait pu porter pour aller en entrevue de sélection et la plupart du temps ne répondait même plus au téléphone. Pour se remettre en mouvement, elle a du procéder par de petites étapes amenant à de petits succès qui l'ont remis en contact avec ses capacités. Elle a eu recours à la liste d'activités agréables que vous retrouverez un peu plus loin dans ce texte pour commencer à s'exposer à des événements agréables. Elle dépensait un minimum d'énergie pour un maximum de plaisir. Elle a pu ainsi recommencer à se lever à des heures propices au travail, reprendre des heures de repas régulières et surtout reprendre le goût de se présenter à son avantage autant face à ses amis qu'à un éventuel employeur ou à elle-même.

Une des façons de sortir d'une émotion dépressive consiste à se mobiliser pour faire quelque chose d'agréable. Cela nous aide à recalibrer notre projecteur d'images internes afin qu'il cesse de nous présenter seulement du négatif. Les événements agréables nous aident à nous convaincre que nous pouvons réussir, que nous avons accès au plaisir et que cela vaut la peine de dépenser un minimum d'énergie pour obtenir un maximum de plaisir. Ce plaisir nous nourrit et nous donne en retour l'énergie de poursuivre nos efforts. Souvent, en période dépressive, notre imagination est plus limitée et nous oublions ce que nous aimions faire. Vous trouverez dans les pages qui suivent des exemples d'activités agréables. Ne les essayez pas toutes la même journée. Ne commettez pas l'erreur que plusieurs personnes déprimées font: dès qu'elles ont un peu d'énergie elles l'utilisent au complet pour une tâche désagréable qu'elles se sentent obligées de faire (Ex: faire le ménage) et s'épuisent sans avoir eu l'occasion d'en profiter. Espérons que cette liste vous rappellera des activités que vous avez déjà pris plaisir à exécuter. Ajoutez-les à la liste, tout comme les activités que vos amis aiment faire. Vous n'aurez jamais trop d'idées. Certaines vous sembleront farfelues, mais peut-être vous aideront-elles à en trouver de plus adaptées à votre style de vie et à vos ressources.

Liste des activités agréables

Visiter différents endroits

- Aller en campagne
- Aller à la plage
- Aller à la pêche
- Se promener en montagne
- Faire du camping
- Marcher en ville, faire du lèche-vitrine
- Visiter une autre ville
- Aller à un zoo, un carnaval, un cirque ou un parc d'amusement
- Aller au parc, à un picnic ou un barbecue
- Aller à un ciné-parc, chez Dairy Queen, McDonald, etc
- Visiter le cimetière

- Visiter des endroits particuliers: aéroports, écluses, endroits avec une vue particulière tels que le mat du stade olympique ou le haut du mont Saint-Hilaire, le mont Saint-Bruno, le Jardin botanique, etc.

Sorties

- Aller à des rencontres de clubs sociaux ou civiques
- Aller à une rencontre d'affaire ou à une convention
- Aller à une soirée (party)
- Aller à un concert rock
- Aller aux courses (chevaux, automobiles, bateaux, etc.)

- Aller dans un bar, une taverne, un club, etc.
- Aller à une conférence
- Manger avec des amis ou des associés
- Aller à un mariage, un baptême, une confirmation, etc.
- Chanter en groupe
- Aller à une activité mise sur pied par la paroisse (cours, rencontres sociales, ventes, bingo)
- Aller à une réunion publique (souvenirs, bonne cause, etc.)
- Aller à un club de santé, un sauna, etc.
- Flirter, donner des rendez-vous, faire la cour, etc.
- Aller à l'école, à des rencontres gouvernementales, à la cour, etc.
- Prendre part à des manœuvres militaires
- Aller à la chasse ou au champ de tir
- Aller à un musée ou à une galerie d'art
- Aller visiter mes parents
- Aller à une pièce de théâtre
- Aller au cinéma
- Aller à la librairie ou à la bibliothèque
- Aller au magasin de disque
- Aller à des réunions ou des «party» de bureaux
- Magasiner
- Assister à un concert, un opéra, ou un ballet
- Aller au restaurant
- Aller à un banquet, un brunch, etc.
- Aller à des encans, des ventes de garage, etc.
- Danser
- Aller à une réunion du comité d'école
- Aller à une réunion familiale
- Aller chez le coiffeur ou l'esthéticienne
- Faire partie d'un groupe de personnes seules, de parents, de parents monoparentaux, de femmes, à un club de rencontre
- Dormir à l'hôtel une nuit

Sports
- Aller à des événements sportifs
- Prendre une marche
- Jouer au baseball ou à la balle molle, jouer au golf
- Jouer au tennis
- Jouer au basketball
- Jouer au football
- Jouer au handball, au squash, etc.
- Escalader une montagne
- Naviguer (canot, kayak, bateau à moteur, à voile, etc.)
- Conduire une bicyclette, une moto, une automobile ou un bateau

- Faire de l'exploration (auto-stop sur des routes inconnues, spéléologie, etc.)
- Faire du ski alpin ou du ski de fond
- Pratiquer la lutte ou la boxe
- Participer à une compétition sportive
- Faire de l'équitation
- Pratiquer des sports sur pelouse (badminton, croquet, fer à cheval, etc.)
- Regarder un combat
- Faire du ski nautique, de la plongée sous-marine, de la planche à voile
- Jouer au ping-pong
- Nager
- Jouer au «frisbee»
- Courir, faire de la gymnastique, des exercices physiques, etc.
- Jouer au soccer, au rugby, au hockey, à la crosse, etc.
- Sauter en parachute
- Se promener en patins à roulettes, en planche à roulettes

Arts ou artisanat

- Faire une œuvre d'art (peinture, aquarelle, sculpture, dessin, film, etc.)
- Créer ou arranger des chansons ou de la musique
- Restaurer des antiquités, refaire les meubles

- Travailler le bois, la menuiserie
- Jouer d'un instrument de musique
- Jouer (acteur)
- Faire de l'artisanat (poterie, bijoux, cuir, tissage, etc.)
- La photographie
- Dessiner un vêtement
- Jouer dans un groupe musical
- Écouter de la musique
- Coudre

Travail, réparation, rénovation

- Poser sa candidature à des emplois à temps partiel ou à temps plein, temporaires ou permanents
- Faire de la mécanique (auto, bicyclette, motocyclette, tracteurs, etc.)
- Travailler à son travail régulier
- Donner un discours ou une conférence
- Faire des petites réparations à la maison
- Faire des travaux lourds à l'extérieur (couper du bois, défricher une terre, le travail de ferme, etc.)
- Jardiner, faire de l'aménagement paysager ou travailler dans la cour extérieure

- Amasser des objets naturels (fruits ou nourritures sauvages, roches, bois sur le bord de l'eau, etc.)
- Travailler en politique
- Faire des travaux ménagers ou la lessive, laver des choses
- Réparer des choses
- Vendre des produits (Avon, Tupperware, Rolmex, etc.)
- Garder des enfants, gratuitement ou contre rémunération, régulièrement ou à l'occasion

Jeux
- Jouer aux cartes
- Résoudre un problème, un casse-tête, des mots croisés, mots cachés, etc.
- Jouer au billard
- Jouer aux quilles
- Jouer aux échecs ou aux dames
- Gager (gambling)
- Jouer à des jeux de société (Monopoly, Scrabble, backgammon, etc.)
- Jouer dans le sable, dans l'eau, dans la pelouse, etc.

À la maison
- Aménager ou décorer sa chambre ou la maison
- Regarder la télévision
- Discuter
- Se raser
- Prendre une douche

- Prendre un bain seul ou avec votre partenaire
- Se maquiller, placer ses cheveux, etc.
- Se peigner ou se brosser les cheveux
- Laver ses cheveux
- Se parfumer
- Faire une sieste
- Chanter seul
- Écouter la radio
- Parler au téléphone
- Organiser une soirée (party)
- Relaxer
- Prendre soin des plantes de la maison
- Laver l'automobile
- Collectionner des choses
- Marcher autour de chez soi

Lire et écrire
- Lire la bible ou un autre livre saint
- Lire un livre ou un article indiquant comment faire certaines choses
- Lire des nouvelles, des poèmes, des romans ou des pièces de théatre
- Écrire des romans, des nouvelles, pièces de théâtre ou de la poésie
- Lire des essais ou de la littérature professionnelle, technique ou académique
- Lire des lettres, des cartes postales, des cartes de vœux, ou des notes

- Écrire une conférence, un essai, un article, un rapport, un mémo, etc.
- Écrire un journal
- Écrire des lettres, des cartes postales, des cartes de vœux, ou des notes
- Lire des bandes dessinées
- Lire le journal
- Écrire des lettres aux journaux ou à mon député pour protester contre les conditions sociales, politiques ou environnementales
- Lire des magazines
- Lire des histoires à quelqu'un

Vêtements

- Porter des vêtements dispendieux ou d'apparat
- Porter des vêtements sports
- Porter des vêtements propres
- Porter de nouveaux vêtements

Finance et Achats

- S'acheter des choses
- Cuisiner ou faire des objets pour vendre
- Acheter quelque chose pour sa famillle
- Faire un budget, planifier ses finances
- Faire un achat ou un investissement majeur (auto, appareil ménager, maison, etc.)

- Améliorer sa santé (faire réparer ses dents, nouvelles lunettes, changement de régime alimentaire, etc.)
- Emprunter quelque chose
- Vendre ou échanger quelque chose

Rendre service, dons et charité

- Faire des dons à des institutions religieuses ou charitables
- Visiter les gens qui sont malades, inhibés ou en difficulté
- Faire plaisir à ses parents
- Cuisiner ou faire des objets pour donner
- Donner des cadeaux
- Aider quelqu'un
- Conseiller quelqu'un
- Présenter des gens que je crois potentiellement intéressés l'un à l'autre
- Enseigner
- Être entraineur
- Rendre des services aux gens
- Faire du bénévolat auprès d'enfants, de personnes agées, à l'hôpital ou ailleurs

Voyages et déplacements

- Planifier des voyages ou des vacances
- Conduire sur une longue distance
- Prendre l'avion

- Conduire une motocyclette
- Regarder des cartes routières, géographiques, etc.
- Faire de l'autostop
- Se promener dans une automobile sportive ou dispendieuse
- Voyager en groupe
- Se promener en motoneige ou en «quatre roues»

Alimentation

- Faire des collations
- Faire des conserves, congeler des produits, faire des réserves de nourritures, etc.
- Manger un bon repas
- Manger une collation
- Prendre du café, du thé, un cola, etc. avec des amis
- Préparer un mets nouveau ou spécial

Sujets de conversations

- Parler de mes loisirs ou de mes intérêts spéciaux (sports, voyages, automobile, émission de télévision ou de radio, musique, disques, spectacles, lectures, sorties, mode, achats, nourriture, actualité, santé)
- Parler de son enfance ou de souvenirs
- Parler de philosophie ou de religion

- Parler de ses enfants ou petits-enfants
- Critiquer quelqu'un
- Parler des autres
- Parler de mon travail
- Parler de politique ou d'affaires publique
- Blaguer
- Parler de sexualité
- Exprimer mon amour ou mon amitié à quelqu'un

Activités mentales

- Penser à quelque chose de bon à venir
- Penser à soi-même et à ses problèmes
- Penser à des gens que j'aime bien
- Faire un rêve éveillé
- Planifier ou organiser quelque chose
- Se souvenir du passé
- Planifier son horaire, gérer son temps
- Se souvenir d'un ami ou d'un proche décédé

Observer, admirer, contempler, goûter à un plaisir simple

- S'asseoir au soleil
- Marcher pieds nus
- Se promener nu
- Respirer de l'air propre
- Regarder le lever ou le coucher du soleil

- Faire voler un cerf-volant
- Jouer dans la neige
- Être avec des animaux
- S'occuper d'un animal (oiseau, chien, chat, poisson rouge, etc.)
- Écouter les bruits de la nature
- Regarder un beau paysage
- Donner des coups de pieds dans des feuilles mortes, du sable, de la gravelle, etc.
- Utiliser ma force physique (déplacer des objets, fendre du bois, etc.)
- Jouer avec des animaux
- Observer les animaux sauvages
- Observer le ciel, les nuages ou une tempête
- Regarder les étoiles ou la lune
- Regarder ou sentir une fleur ou une plante
- Goûter à la paix et la tranquilité
- Être avec quelqu'un que l'on aime
- Observer les oiseaux
- Observer les gens
- Faire ou observer un feu
- Observer les beaux hommes ou les belles femmes
- Faire des choses avec les enfants
- Marcher sur la plage

Spiritualité
- Dire une prière
- Ressentir la présence de Dieu dans ma vie
- Méditer ou faire du yoga
- Se confesser
- Écouter un bon sermon

Être avec d'autres
- Rencontrer des amis
- Inviter des amis à vous visiter
- Faire des compliments à quelqu'un
- Se faire masser ou frotter le dos
- Donner des massages ou frotter le dos de quelqu'un
- Écouter des farces
- S'embrasser
- Se faire remarquer comme quelqu'un d'attrayant sexuellement
- Avoir des relations sexuelles
- Sourire aux gens
- Se caresser mutuellement
- Visiter des amis
- Demander un conseil
- Convaincre quelqu'un de votre point de vue
- Argumenter avec quelqu'un
- Faire partie d'un groupe de rencontre, de thérapie, de relations humaines, de travail corporel, de relaxation, etc.
- S'excuser
- Demander de l'aide ou un conseil

- Observer des membres de ma famille ou des amis faire des choses qui me rendent fier d'eux
- Être avec ses petits-enfants

Développer de nouvelles habiletés

- Parler une langue étrangère
- Suivre des cours de yoga, de relaxation, de relations humaines, de danse, de langue, de poterie, de dessin, de karaté, de judo, de décoration, d'arrangement floral, d'entretien des plantes, d'aménagement paysager, etc.

- Faire des expériences scientifiques
- Retourner à l'école pour compléter ses études primaires, secondaires, collégiales ou universitaires
- Apprendre un nouveau métier tel que la coiffure, la mécanique automobile, la boucherie, la cuisine, la reliure, l'art floral, la massothérapie.

_____

(Boisvert et Beaudry, 1979; Granger, 1980; Mac Phillamy et Lewinsohn, 1982)

Mentionnons finalement qu'en état de deuil, rien ne sert d'éviter la tristesse. Elle vous permettra d'accepter la réalité. Laissez-vous vivre la douleur reliée au deuil. Elle vous aidera à vous ajuster à un environnement dans lequel ce qui est perdu manque, et à reprendre l'énergie émotionnelle investie pour la mettre dans une nouvelle relation (Worden, 1982). Pensez à la personne disparue, laissez-vous évoquer vos meilleurs moments et ressentir ce qui vous manque de sa présence. Vos larmes vous soignent. Donnez-vous du temps pour pleurer et identifier des moments de la journée où vous pouvez vous laisser aller. Cela vous permettra de vous sentir plus en contrôle et plus libre le reste de la journée. Donnez-vous le temps de vivre le deuil. Le temps nécessaire varie d'une personne à l'autre. Il est normal d'avoir l'impression de voir ou d'entendre la personne disparue, d'avoir de la difficulté à y croire, de devenir distrait, de sentir une présence. Ces impressions s'atténuent progressivement. Les dates d'anniversaire de la perte et les fêtes (Noël) seront des moments difficiles. Imaginez ce que vous auriez aimé dire à la personne disparue avant qu'elle ne parte. Qu'est-ce que vous auriez aimé qu'elle sache ou qu'elle comprenne? Certaines personnes trouvent cela utile d'écrire une lettre à la personne disparue, une lettre où elles se permettent d'exprimer leur peine, leur colère, leur peur, leur culpabilité, leur soulagement, etc.). Ce n'est pas le genre de lettre que l'on peut écrire tout d'un coup. C'est important de se donner le temps de vivre les émotions qui surgissent lors de l'écriture, de se laisser «digérer» la réalité du deuil. Il s'agit d'une occasion pour vous de mieux comprendre et de mieux vivre tout ce qui se passe en vous.

La personne, la situation ou la chose perdue était importante et unique pour vous et personne ni rien ne pourra jamais la remplacer complètement. Elle remplissait des besoins qui sont les vôtres, maintenant insatisfaits. Bien que cela soit difficile à imaginer, on peut penser qu'une partie de ces besoins pourront être comblés d'autres façons.

Certains vivent des deuils inutiles en considérant une perte hypothétique comme un événement actuel. Johanne craignait de perdre son époux suite à son retour aux études. Elle l'imaginait déjà en amour avec une jeune étudiante du Cegep. Elle réagissait comme s'il l'avait déjà quittée. Elle en vint à reconnaître qu'elle n'avait aucun indice qui lui laisserait croire en l'infidélité éventuelle d'un mari qui lui avait toujours été loyal. Elle travailla alors sur sa propre insécurité et la faible estime qu'elle avait d'elle-même, ce qui l'amenait à croire qu'elle pourrait facilement être remplacée par une autre femme.

4.9.2) Surmonter l'anxiété

Qu'est-ce que l'anxiété? L'anxiété est une réaction émotionnelle aux évaluations irréalistes et déformées d'une situation. Votre mode de pensée crée votre anxiété (Beck et Emery, 1985; Emery, 1987; Fortin et Néron, 1990; Mathews,

Gelder et Johnston, 1981). Si vous êtes une personne anxieuse, vous surestimez le danger d'être dans une situation et sous-estimez votre capacité d'y faire face. L'anxiété que vous éprouvez est le résultat de votre mode de pensée. Certaines idées au sujet de l'anxiété rendent cette expérience encore plus effrayante. Vous pouvez penser, par exemple, que vous êtes sur le point de devenir fou, que vous aurez une crise cardiaque, que vous perdrez tout contact avec la réalité ou tout contrôle. En conséquence, les gens anxieux souffrent non seulement d'anxiété, mais encore d'anxiété au sujet de l'anxiété. Ils ont peur de leurs peurs.

Il y a donc deux niveaux d'anxiété. Le premier niveau est un signal d'alarme qui vous informe (à tort ou à raison) du fait que votre organisme perçoit des dangers tels qu'une maladie physique, un accident, une humiliation publique, etc. Le deuxième niveau, c'est la peur des symptômes d'anxiété. À ce niveau, vous ressentez de l'anxiété au sujet de votre anxiété. Votre incapacité de surmonter l'anxiété amplifie votre peur de l'anxiété, et cette peur amplifie à son tour le signal d'alarme initial, et ainsi de suite. Vous vous retrouvez avec un cycle de panique (Barlow et Cerny, 1988). Les signes de l'anxiété sont variés (American Psychiatric Association, 1989). Mentionnons les tremblements, les douleurs musculaires, la fatigabilité, l'incapacité à se détendre, la transpiration, les palpitations, les étourdissements, les nausées, les bouffées de chaleur, la diarrhée, le besoin d'uriner fréquemment, la sensation de boule dans la gorge, le pouls et la respiration rapide au repos. Ils ressemblent souvent à certains symptômes de maladies physiques, ce qui amène votre organisme à mal les interpréter. Il est plus efficace de concentrer d'abord vos efforts à éviter d'avoir peur de vos symptômes d'anxiété. La plus grande partie de l'inconfort que vous ressentez provient de là.

Cette peur des symptômes anxieux vous amène à éviter les situations qui vous permettraient de vous prouver que le signal d'alarme déclenché par votre organisme est une fausse alerte, car il n'y a pas de véritable danger. Par exemple, si vous craignez de vous retrouver en groupe, la peur de l'anxiété que vous ressentez en présence des gens vous amène à les éviter. Ainsi, vous vous privez de l'occasion de vous prouver que cela n'est pas dangereux de fréquenter un groupe de personnes. Vous devez donc maîtriser votre peur de l'anxiété avant de surmonter votre peur des groupes.

L'anxiété vous amène à adopter une façon particulière de voir les choses que l'on nomme le point de vue anxieux. De ce point de vue, vous vous considérez comme vulnérable et en danger. Vous recherchez donc les indices de situations menaçantes. Une fois que vous avez adopté ce point de vue, vous avez tendance à continuer de voir les choses de la même façon. Il vous semble alors que vous avez besoin de demeurer en alerte pour mieux assurer votre protection. Dans cet état d'alerte, si vous percevez une menace à votre bien-être physique ou psychologique, vous devenez inquiet et encore plus vigilant. Vous imaginez alors des catastrophes dans le but d'éviter qu'elles se réalisent. Malheureusement ces images ou ces pensées ont elles-mêmes un impact négatif sur vous: elles suscitent les symptômes anxieux.

L'anxiété n'est jamais utile, bien que la peur soit appropriée face à un danger réel. La peur que ressentent les gens anxieux n'a souvent aucun rapport avec une évaluation réaliste de la situation. Elle vient de l'inconnu. Ils se préoccupent d'un danger éventuel alors qu'en réalité, ils ignorent ce que c'est.

Toutes les formes d'anxiété correspondent à un faible niveau de conscience de ce qui se passe vraiment. Sous l'effet de l'anxiété, les gens deviennent temporairement moins intelligents. Ils perdent une partie de leur capacité de raisonner et d'exercer pleinement leur jugement. Ils sont alors très vulnérables aux suggestions et réagissent comme si les suggestions effrayantes qu'ils se font eux-mêmes ou qu'ils entendent d'autres personnes étaient vraies. Souvent les gens anxieux ne sont pas conscients des pensées qui sont reliées à leur état.

L'anxiété peut vous amener à ne plus avoir conscience de vos choix. Votre comportement devient alors automatique, guidé par les directives de vos pensées et de vos images intérieures. Votre attention devient fixe. Votre conscience diminue. Alors que vous vous concentrez sur un certain danger, vous perdez temporairement une partie de votre capacité de raisonner et de comprendre l'ensemble de la situation. Vous vivez comme si vos représentations mentales étaient la réalité.

Vous avez peut-être des idées qui vous rendent plus susceptible à devenir anxieux. Les besoins d'approbation, de contrôle et de compétence sont de puissantes sources d'anxiété (Emery, 1987). En voici des exemples:

1) **J'ai besoin d'approbation.** Il faut que tout le monde m'aime, me comprenne, prenne soin de moi. Il ne faut surtout pas qu'on me critique, me rejette, me mette à part, me laisse seul.

2) **J'ai besoin de contrôle.** Il faut que j'aie complètement le contrôle sur moi-même et sur la situation, que ce soit moi qui établisse les règles. Il ne faut surtout pas que je sois imparfait, que j'aie besoin d'aide ou que je donne l'occasion à quelqu'un d'autre de tenter de me contrôler. Si je perds le contrôle, je deviendrai fou.

3) **J'ai besoin de me sentir compétent.** Il faut que j'accomplisse de grandes choses dans tout ce que j'entreprends, que j'aie du succès, que je sois le meilleur. Il ne faut surtout pas que j'abandonne, que j'échoue, que je sois incapable de faire quelque chose, que les autres aient du succès.

Ces désirs ou ces efforts excessifs sont régis par des règles rigides et inhumaines qui ne laissent pas de place aux nuances. Vous allez découvrir qu'en laissant aller ces désirs excessifs, vous évacuerez une partie importante de l'anxiété. Instaurez de nouvelles croyances plus humaines en commençant à vous comporter selon ces nouvelles règles. Avec le temps, elles deviendront aussi automatiques et puissantes que les anciennes, et vous vous en porterez mieux.

Voyons maintenant une série de suggestions visant à vous permettre de surmonter votre anxiété:

1) Intéressez-vous à votre anxiété:
   Observez vos pensées et vos images internes, les fluctuations puis la diminution des symptômes anxieux.

2) Acceptez votre anxiété:
   Ces sensations sont des réactions physiques normales, désagréables mais sans danger.

3) Prenez de l'information sur ce qui suscite votre anxiété:
   Faites des expériences.

4) Affrontez les choses par petites étapes:
   Attendez et donnez le temps à votre peur de disparaître.

5) Évitez les pensées effrayantes:
   Si vous ne l'amplifiez pas par des idées effrayantes, la peur diminuera d'elle-même.

6) Agissez comme si vous n'étiez pas anxieux, comme si vous vous sentiez courageux.

7) Donnez-vous du temps pour exécuter vos tâches, pour apprendre ce qu'il faut, pour vous améliorer et pour prendre soin de vous.

8) Évitez de vous demander l'impossible.

9) Évitez d'accorder une importance exagérée aux événements.

10) Rappelez-vous vos ressources internes et externes.

11) Recherchez des modèles.

12) Soyez actif.

13) Renoncez à la perfection. Acceptez de faire de votre mieux, avec les connaissances et les ressources disponibles.

14) Concentrez-vous sur la tâche que vous avez à faire.

15) Imaginez-vous en train de réussir ce que vous faites.

16) Regardez avec vos yeux et écoutez avec vos oreilles plutôt qu'avec vos souvenirs ou votre imagination.

17) Semez le doute à vos inquiétudes.

La première façon de semer le doute à vos inquiétudes et de commencer à corriger votre mode de pensée, est de vous poser des questions pertinentes:

1) Qu'est-ce qui me prouve que cette pensée est vraie? Sur quoi puis-je me fonder pour penser cela? Quelle en est la preuve?

Exemple:

– Mes amis ne m'aiment plus.

– Qu'est-ce qui me prouve que c'est vrai?

– Rien de bien précis. Depuis un bout de temps, je refuse de les voir. Ils m'invitaient souvent à les visiter mais c'est moi qui me suis isolé. Peut-être est-ce moi qui ne m'aime plus autant qu'avant?

2) Est-ce que je considère une simple pensée comme si c'était un fait?

Exemple:

– Je vais perdre mon emploi. Je ne réussirai pas à faire mon nouveau travail adéquatement.

– Est-ce un fait ou une pensée?

– Ce n'est qu'une pensée. C'est une crainte que j'éprouve. Je la vérifierai bien plus tard.

3) Est-ce que je suis assez près de la situation pour vraiment savoir ce qui se passe? Ai-je besoin de plus d'information?

Exemple:

- Je ne pourrai tolérer un accouchement naturel. Je vais mourir.

- Qu'est-ce que je sais au juste de l'accouchement? Quelles informations m'a-t-on donné à ce sujet? Comment pourrais-je en savoir plus?

- C'est ce que je m'imagine qui me terrorise. Je n'ai jamais pris la peine de me renseigner auprès d'une source fiable. Les rumeurs horribles que j'ai entendues je ne sais trop où, et ce que j'ai lu dans certains journaux, m'ont amenée à éviter même d'y penser. Il n'y a pas de danger à prendre plus d'informations.

4) Est-ce que je pense en termes catégoriques du genre «tout ou rien»? Y a-t-il des nuances à apporter?

Exemple:

- La vie ne vaut pas la peine d'être vécue si je suis imparfait (gros, chauve, vieux, handicapé, ou malade). Je ne pourrai pas être heureux.

- Suis-je absolument convaincu qu'il n'y a rien qui vaille la peine d'être vécu? Rien du tout? C'est un point de vue bien catégorique que j'aurais avantage à nuancer.

- C'est difficile pour moi de le croire pleinement en ce moment mais je peux imaginer une vie où je puisse aimer, être aimé, apprendre et comprendre sauf que cela ne sera pas aussi facile que je le souhaiterais.

5) Est-ce que j'utilise des généralisations exagérées dans mes pensées?

Exemple:

- Je n'ai pas pu aller réparer l'auto de mon père. Je suis un fils ingrat. Je ne fais jamais les choses comme il le faut.

- Jamais? Jamais? Est-ce que je suis en train de généraliser à partir d'une simple situation?

- Je trouve que je me conduis très bien la plupart du temps. Cela n'est pas bien grave de remettre cette réparation d'une semaine. Je lui ai déjà expliqué qu'il fallait vraiment que je fasse du travail supplémentaire et il semble avoir compris. J'aurai bien d'autres occasions de lui prouver que je peux l'aider.

6) Est-ce que je traite un événement à faible probabilité comme s'il avait de fortes chances de se réaliser?

Exemple:

- Les voleurs vont vider ma maison en mon absence. Les cambrioleurs vont venir une nuit où je serai seul et vont en profiter pour me maltraiter.

- Quelles sont les probabilités qu'un tel événement se produise?

- Mes voisins surveillent la maison et j'ai un bon système d'alarme. Cette image où je me vois mal pris est si forte que parfois je suis persuadé qu'elle se réalisera.

7) Est-ce que j'oublie mes forces, mes ressources et l'assistance que je peux obtenir?

Exemple:

- Mon épouse part en voyage pour un mois. Je ne pourrai jamais réussir à faire la cuisine tout ce temps pour nos deux enfants.

- Est-ce que j'oublie mes forces, mes ressources et l'assistance que je peux obtenir?

- J'en sais déjà assez pour nous permettre de survivre. Je vais demander à ma mère et à mon épouse de m'expliquer quelques recettes. J'ai été capable d'apprendre à rénover la maison, je serai capable d'apprendre les rudiments de la cuisine. De plus, je pourrai à l'occasion les amener au restaurant. Je vais probablement profiter de l'offre de ma mère pour aller manger chez elle les dimanches.

8) Comment verrais-je cette situation si je n'étais pas anxieux? De quelle autre façon peut-on la voir? Y a-t-il des avantages à découvrir?

Exemple:

- Je vais devoir prendre ma retraite. Ma vie est finie. Il n'y a plus rien de bon devant moi.
- De quelle autre façon peut-on voir cette situation?
- Peut-être est-ce une importante occasion de changement dans ma vie, une porte qui s'ouvre vers autre chose. Je ne sais pas encore quoi. Ce ne sera pas facile au début. Je vais probablement avoir à réactiver des parties de moi que je n'ai pas utilisées depuis longtemps. J'ai déjà affronté des défis dans ma vie et je peux le faire encore. J'ai de la difficulté à voir ce que me réserve cette situation. Avec du recul, peut-être vais-je apercevoir une issue? J'ai le temps d'y penser.

9) Comment pourrais-je vérifier plus à fond ces pensées qui ne sont que des hypothèses?

Exemple:

- Perdre son emploi, c'est une garantie de rejet. Les gens vont me trouver ridicule.
- C'est une hypothèse. Comment pourrais-je la vérifier?
- Je peux commencer par aller visiter quelques amis et observer leur réaction. Je verrai bien.

Exemple:

- À mon âge, aucune femme ne sera intéressée à me fréquenter.
- C'est une hypothèse. Comment pourrais-je la vérifier?
- Je peux commencer par manifester à mes amis le fait que je souhaite rencontrer quelqu'un et fréquenter des endroits où j'ai des chances de rencontrer des personnes intéressantes. Je verrai bien.

10) Ai-je tendance à accorder beaucoup d'importance à quelque chose d'anodin?

Exemple:

- Les gens vont tous se retourner lorsqu'ils vont entendre que je parle difficilement l'anglais. Ils vont tous me regarder.

- Est-ce que j'accorde beaucoup d'importance à l'idée qu'ils vont se retourner alors que je pourrais rester indifférent?

- Peut-être, il faudra bien que je pratique un jour l'anglais en public. Ce sont des étrangers dont je pourrais trouver l'opinion sans grande importance. J'ai le droit d'apprendre à parler anglais. Je ne peux pas le savoir avant de l'avoir appris.

11) Est-ce que je me pose des questions qui n'ont pas de réponse?

Exemple:

- Quel est le sens de la vie? Pourquoi est-ce que je suis comme je suis, pourquoi est-ce arrivé à moi et non à quelqu'un d'autre?

- Est-ce qu'il s'agit d'une question qui n'a pas de réponse?

- C'est vrai qu'il s'agit de questions auxquelles il est difficile de trouver une réponse. Certains philosophes y consacrent leur existence entière. J'aurais peut-être avantage à dépenser mon énergie à régler des problèmes concrets.

12) Est-ce que j'ai des attentes réalistes?

Exemple:

- La réaction de mon mari me frustre parce qu'à chaque fois que j'ai besoin de son soutien et que je veux lui parler de mon anxiété, cela le bouleverse et il a les larmes aux yeux. Je m'attendais à ce qu'il soit toujours fort, calme et réceptif.

- Est-ce que j'ai des attentes réalistes?
- Non. C'est normal qu'il soit affecté par ce qui m'arrive. Il m'a déjà bien appuyée et je connais ses intentions de m'aider autant qu'il le peut. Peut-être serais-je mieux de choisir quelqu'un d'autre à qui me confier?

Naturellement, ce n'est pas parce que vous êtes anxieux que vous n'avez pas de problèmes physiques réels. Cette réalité complique, hélas, souvent le contrôle de l'anxiété. Vous pouvez certainement prendre la précaution d'obtenir une évaluation médicale de votre condition physique auprès d'un médecin en qui vous avez confiance afin de vous assurer que vos symptômes relèvent bien de l'anxiété. Rappelez-vous toutefois que c'est une des caractéristiques des personnes anxieuses de ne pas être rassurée par de tels examens car elles entretiennent les mêmes pensées catastrophiques dans ce domaine: le médecin a peut-être oublié quelque chose. Il a peut-être mêlé mon dossier avec celui de quelqu'un d'autre. Les quatre médecins que j'ai vu étaient peut-être tous incompétents. Vous pouvez utiliser les questions que nous avons vu pour semer le doute dans ces inquiétudes.

Comme nous l'avons souligné dans l'introduction, ce livre ne peut remplacer un traitement psychologique ou médical. Certaines personnes vivent une anxiété d'un tel niveau qu'elles ont avantage à avoir recours à un traitement. La prise temporaire d'une médication peut les aider à affronter leurs peurs puis à reprendre une existence plus satisfaisante.

4.9.3) *Surmonter la colère*

Il y a plusieurs façons de voir une situation. L'évaluation d'un événement peut amener des réactions agressives (Beck, 1976; Dryden, 1990; Feindler, et Exton, 1986; Fortin et Néron, 1990; Novaco, 1975). Voici une énumération de ce qui peut provoquer une telle réponse:

1) Quelqu'un ou quelque chose ne se comporte pas en accord avec vos croyances et avec votre système de valeurs. Ils transgressent certaines règles personnelles. Compte tenu de vos critères personnels de ce qui est juste et selon votre perception de ce qui «doit» avoir lieu, vous vous sentez traité injustement et vous avez l'impression que le comportement de l'autre est inacceptable.

2) La situation ne correspond pas à vos attentes et la distance qu'il y a entre vos attentes et ce que vous percevez suscite chez vous une frustration, un sentiment d'injustice.

3) Vous percevez la situation comme une menace à un de vos besoins de base ou à une de vos valeurs importantes et vous êtes tenté de réagir agressivement dans le but de mettre fin à cette menace.

4) Certaines personnes vous attaquent directement ou attaquent vos valeurs.

L'agressivité provient donc en partie de la conviction qu'un événement, une personne ou une chose est responsable de votre détresse et vous cherchez un moyen de corriger la situation ou de «décharger» la tension suscitée par la frustration. En reconnaissant que ce sont vos attentes et vos pensées qui ont suscité votre agressivité, vous commencez à en prendre le contrôle.

La colère cherche une cible et une occasion pour s'exprimer. Lorsque vous êtes d'humeur agressive, vous êtes sensible à la frustration et à la critique et êtes à l'affût des injustices. Votre esprit tend à demeurer dans cet état jusqu'à ce qu'il trouve une cible vers laquelle orienter l'agressivité. Vous êtes plus porté à rechercher et à créer des images qui exacerbent votre agressivité et à avoir des pensées irritantes qui intensifient votre hostilité, votre colère ou votre rage. Il y a un risque de tomber dans un cercle vicieux: vous avez des pensées qui intensifient les sensations d'hostilité et d'agressivité et ces sensations à leur tour amènent encore plus de pensées agressives.

Vous pouvez par exemple vous dire des phrases provocantes:

- Il me prend pour un imbécile...
- Il veut rire de moi...
- S'il pense que je vais le laisser m'écraser...
- Ça recommence, elle va encore me critiquer...
- Je vais lui montrer à cet idiot ce qu'il peut faire avec ses conseils.

Vous contribuez à votre agressivité en vous disant certaines choses ou en produisant certaines images. Vous pouvez modifier cet état en apprenant à vous dire autre chose et à susciter d'autres images.

Notons que la cible de l'agressivité peut être une personne, un animal ou un objet tout à fait étranger aux facteurs qui ont causé l'agressivité et que la réaction peut être disproportionnée par rapport à l'événement. L'accumulation de frustrations amène parfois des explosions de colère disproportionnées et dirigées vers l'événement qui n'est que la goutte qui fait déborder le vase.

Vous avez peut-être des idées au sujet de l'agressivité qui rendent cette expérience encore plus difficile à surmonter.

1) Vous pouvez juger inacceptable le fait de vous sentir agressif ou craindre de perdre tout contrôle ou d'être écrasé si vous commencez à exprimer un peu d'agressivité.

2) Vous pouvez, au contraire, croire qu'il faut agresser toutes les personnes envers lesquelles votre colère vous semble justifiée sans tenir compte du contexte et des conséquences.

3) Vous croyez ne pas pouvoir tolérer la frustration.

4) Vous avez constamment l'impression que votre valeur personnelle est en jeu.

Il y a une différence importante entre ressentir de l'agressivité, l'exprimer au bon moment par des mots appropriés et poser des gestes agressifs. L'agression n'est pas un bon moyen de réagir à la détresse émotionnelle. Nous entendons par agression une expression hostile au moyen de mots ou d'actions ayant pour but d'obliger l'autre à se soumettre (Boisvert et Beaudry, 1979). Elle utilise la menace ou la punition pour obtenir l'accord de quelqu'un. Elle rejette, accuse, ridiculise et rabaisse l'autre. Éventuellement, elle amène les gens de l'entourage à s'irriter à leur tour et à contre-attaquer, à avoir peur ou à s'éloigner. Cela diminue la possibilité d'entente entre les personnes et augmente le risque d'isolement.

Notons toutefois qu'il est important de s'affirmer pour défendre ses droits, exprimer son désaccord et sa colère. Cela peut être fait d'une voix calme, ferme et avec persistance, sans agression, dans le respect de l'autre.

Voyons maintenant quelques suggestions pour gérer votre colère:

1) Rappelez-vous de votre valeur.

Le fait de devenir en colère a souvent quelque chose à voir avec le fait de douter de soi-même ou de se sentir menacé. Rappelez-vous que vous êtes une personne de valeur et que vous avez plusieurs belles qualités.

2) N'accordez pas d'importance à des futilités.

Vous rattachez peut-être votre valeur à des choses qui n'ont pas vraiment d'importance. Cela vous rend plus vulnérable à la colère. Évitez de prendre à cœur des choses sans que cela ne soit nécessaire. Vous pouvez également choisir de prendre une distance émotionnelle, c'est à dire prendre du recul. Certains utilisent l'humour pour s'aider à dédramatiser. Certaines situations semblent très frustrantes sur le moment mais lorsqu'on se demande ce qu'on en pensera dans une semaine ou un mois, on se rend compte qu'à ce moment, cela n'aura plus d'importance. Votre amie peut préférer votre chemise bleue à la blanche sans que cela mérite une discussion animée. Elle vous informe simplement de ses goûts.

3) Concentrez-vous sur ce qu'il y a à faire pour atteindre votre but.

Même lorsque que quelqu'un vous insulte, vous pouvez contrôler votre colère et la contenir en demeurant orienté vers la tâche. La chose la plus importante à faire est de vous concentrer sur votre but, et de vous en tenir à ce qui doit être fait dans cette situation pour obtenir le résultat que vous désirez. Lorsque vous commencez à prendre à cœur les insultes, vous devenez distrait et empêtré dans un combat inutile. Ne vous laissez pas détourner ou attirer dans une querelle. Remarquez ce que l'autre personne fait pour provoquer mais demeurez orienté vers votre tâche et votre but. Dans le cadre d'une démarche de séparation, Josée dut rencontrer son ancien partenaire. Elle prit alors soin de maintenir son attention sur les conditions de visite du père. Son but était d'obtenir une entente claire.

4) Apprenez à reconnaître les signes de colère dès qu'ils se manifestent.

Il s'agit de signaux d'alarme qui vous indiquent que vous devenez désorganisé et que vous devez entreprendre une action efficace pour obtenir un résultat positif. Plus vous intervenez tôt dans ce processus, plus vous avez de chances de réussir à court-circuiter le processus de la colère. Rappelez-vous que la colère vous rend inefficace, agité et impulsif, et que cela vous amène vers des répercussions négatives. Alain remarqua que ses premiers indices de colère étaient une tension musculaire à la nuque et à la mâchoire.

5) Apprenez à vous détendre.

Vos muscles ne peuvent pas être tendu et détendu en même temps. Apprenez à les détendre. À mesure que vous apprendrez à vous détendre plus facilement, votre habileté de moduler votre colère va s'améliorer. Il existe plusieurs cours, livres et cassettes de relaxation sur le marché. Choisissez la méthode qui vous convient (Sabourin, 1974).

6) Apprenez à exprimer vos insatisfactions et vos désirs.

Plus vous développez vos capacités d'exprimer, avec des mots, vos insatisfactions et vos désirs, moins la pression interne de colère sera élevée et plus elle sera facile à contrôler. La pratique régulière de l'expression verbale de ce qui vous plaît et vous déplaît, en étant sensible au point de vue, à l'opinion et aux émotions de l'autre, vous rendra plus habile et plus apte à obtenir la satisfaction à long terme de vos besoins. Prenez l'habitude de parler de vous, de dire votre opinion, de partager votre point de vue, sans vous sentir obligé de l'imposer aux autres.

Certaines personnes n'expriment pas leur agressivité sous forme d'une colère ouverte. Elles adoptent plutôt une attitude hostile qui peut même prendre la forme d'une résistance passive: ne pas se présenter à un rendez-vous sans avertir, ne pas faire ce à quoi on s'était engagé. Cette stratégie peut être moins destructrice à court terme, mais elle risque, à long terme, de vous empêcher d'atteindre les objectifs que vous vous fixez. Une expression plus directe de vos désirs et de vos frustrations augmenterait vos chances d'obtenir satisfaction.

7) Donnez-vous le temps d'intégrer de nouvelles habitudes.

Vous devenez parfois en colère simplement parce que c'est ce que vous avez toujours fait dans certains types de situation. À mesure que vous apprendrez d'autres façons de réagir à la provocation, vous deviendrez moins porté à réagir avec colère et de plus en plus habile.

8) Donnez-vous des instructions.

La meilleure façon d'éviter que les choses deviennent hors de contrôle est de vous donner des instructions et de gérer votre colère. La meilleure façon de reprendre en charge une situation peut être de ne pas se fâcher lorsque la plupart des gens s'attendent ou même veulent que vous soyez désorganisé et en colère. Le point suivant expose quelques exemples d'instructions.

9) Fragmentez les événements qui provoquent votre colère en différentes étapes.

Vous apprendrez à vous donner des instructions en utilisant des modalités adaptées à ces étapes (avant, pendant, après).

Vous pouvez avoir recours à des commentaires et des directives que vous vous adressez en fonction des objectifs que vous voulez atteindre.

Vous pouvez par exemple vous dire avant qu'une situation stressante se produise:

- Qu'est-ce que j'ai à faire?

- Cela pourrait être une situation difficile mais je sais quoi faire pour y faire face.

- Je peux développer un plan pour affronter cela.

- Je vais m'en tenir au problème à régler et je vais éviter d'en faire une affaire personnelle.

- Je sais comment contrôler ma colère.

- Je vais cesser de m'inquiéter. L'inquiétude ne me sert à rien.

– Je vais envisager les choses utiles que je peux faire plutôt que de m'inquiéter.

– J'envisage *toutes* les possibilités.

– Cette situation m'indique qu'il y a un problème à régler et je vais y parvenir.

Pendant l'événement, plutôt que de vous tenir un discours intérieur nuisible, vous pouvez vous dire par exemple:

– Aussi longtemps que je garde mon calme, je suis en contrôle de la situation.

– Je n'ai rien à prouver.

– Je peux faire face à ce défi.

– Cela ne sert à rien de se fâcher.

– Je garde ma concentration sur le présent, sur ce que j'ai à faire.

– Je fais un pas à la fois. Je vais d'abord terminer ce que je suis en train de faire.

– Je ne pense pas à mon stress, seulement à ce que j'ai à faire.

– Je reconnais les symptômes de la colère, je m'y attendais. Ce n'est pas catastrophique, seulement désagréable.

– Ce sont des signaux qui me rappellent qu'il est temps d'utiliser mes techniques de gestion de la colère.

– Mes muscles deviennent tendus. Je me détends. Je prends une respiration lente et profonde. C'est bien.

– Je m'attends à ce que mon niveau de colère s'élève parfois. C'est normal. Il va fluctuer, monter puis redescendre.

- Je n'essaie pas d'éliminer totalement la colère, je veux simplement le garder à un niveau qui me permette de faire ce qu'il y a à faire.

- Je n'accorde pas plus d'importance à cette situation que cela n'est nécessaire.

- Je ne saute pas aux conclusions: je vais voir avec le temps ce qui va se produire et si mes hypothèses étaient justifiées ou erronées.

- Je me rappelle que je connais plusieurs techniques différentes de gestion de la colère que je peux utiliser au besoin.

- Tout cela n'est pas aussi catastrophique que je le perçois à l'heure actuelle. Plus tard, je verrai cela autrement.

- Je vais m'asseoir confortablement et prendre les choses avec calme.

- Que l'autre veuille que je me fâche ou pas, je vais aborder cela d'une façon constructive.

Une fois la situation terminée, vous pouvez continuer votre discours intérieur pour faire le point sur ce qui s'est produit, imaginer ce que vous ferez différemment une prochaine fois et vous féliciter de vos efforts.

- J'oublie les frictions. Y penser ne fait qu'augmenter ma colère. Je laisse aller.

- Je ne laisse pas tout cela m'empêcher de faire ce que j'ai à faire.

- Je me rappelle la relaxation. C'est beaucoup mieux que la colère.

- Je ne prends pas ce qui s'est passé comme un commentaire sur ma valeur comme personne. Je suis une bonne personne.

- Cela s'est mieux passé que je l'imaginais.

- J'ai accordé plus d'importance à cette situation qu'elle ne le méritait vraiment. Ce n'est probablement pas très sérieux.

- Je me suis bien débrouillé. C'est un bon travail. Mon orgueil peut me mettre en difficulté mais je fais de mieux en mieux. J'ai vraiment réussi à traverser cela sans me fâcher.

- J'acquiers de plus en plus d'habileté à chaque fois que j'utilise mes techniques de gestion de la colère.

- Cela ne s'est pas passé comme je l'aurais souhaité. C'est dommage, désagréable, mais pas catastrophique.

- Je suis content des progrès que j'ai faits. Ce n'est pas parfait mais c'est un peu mieux qu'auparavant et j'en suis fier.

- Je me suis assez bien débrouillé.

- Bon, c'est fait. La prochaine fois, je ferai encore mieux.

Vous pouvez aussi vous concentrer sur ce que vous avez appris de cette expérience:

- Qu'est-ce que je peux apprendre de cela?

- Qu'est-ce que je ferai différemment la prochaine fois?

10) Présentez-vous aux situations particulièrement difficiles à votre mieux

Mieux vaut éviter d'arriver fatigué ou intoxiqué à une situation que vous prévoyez difficile à affronter. Donnez-vous au contraire le temps de repos dont vous avez besoin et réfléchissez au préalable à ce que vous souhaitez faire ou dire afin d'augmenter les chances d'atteindre votre but.

11) Faites de votre mieux pour gérer votre comportement et pour renoncer à contrôler celui de l'autre.

Votre rôle consiste à exprimer de votre mieux votre point de vue, vos désirs et vos intentions. Vous avez avantage à connaître et à respecter le point de vue de l'autre, ses désirs, et ses intentions. La tentation de contrôler l'autre par la colère ou par une menace de violence vous conduit dans une impasse: bien que cela puisse sembler efficace à court terme, cela éloigne les gens et vous prive de leur estime et de leur affection. Dirigez votre énergie vers des buts plus constructifs et plus efficaces.

Les êtres humains sont faillibles: ils font des erreurs et ils ont leurs propres agendas. Ils vous frustreront souvent en cherchant à atteindre leurs objectifs. Ils ont le droit d'agir en fonction de leurs systèmes de valeurs. Certaines personnes se conduisent d'une façon que vous trouvez désagréable; cela ne fait pas nécessairement d'eux des monstres ou des criminels qu'il faut punir. Plusieurs personnes feront fréquemment des choses qui vont à l'encontre de vos valeurs et même des choses mauvaises. Ces personnes ne sont pas nécessairement entièrement mauvaises mais leur comportement dans cette occasion l'est. Certains êtres humains font de mauvaises choses dans certaines circonstances. Les gens ne sont pas des égoïstes parce qu'ils agissent comme ils le font, mais plutôt des êtres humains faillibles qui ont tendance parfois à agir d'une façon égoïste.

Vous souhaitez parfois que les choses se passent autrement mais les gens ne sont pas obligés de se conduire selon vos attentes. Au contraire, ils doivent se comporter selon leur évaluation et leurs objectifs; ils ne sont pas mal intentionnés pour autant. Tout comme vous, ils tentent de satisfaire leurs besoins.

12) Félicitez-vous de vos progrès à contrôler la colère.

Évitez de penser seulement à vos difficultés. Remarquez et appréciez les bonnes choses que vous faites. Rappelez-vous de vous féliciter lorsque vous réussissez à gérer votre colère et permettez-vous de goûter à cette satisfaction.

13) Acceptez la frustration.

La frustration est désagréable mais aucune loi ne déclare que vous devez en être exempté. La frustration est un désagrément, pas une horreur. L'événement qui vous fâche constitue un irritant majeur et vous auriez préféré que cela se passe autrement mais cela n'a pas été le cas. Vous voulez être mieux traité, mais les autres n'ont pas à obéir à vos règles. S'ils ne se comportent pas comme vous le souhaitez, c'est dommage mais non catastrophique. Être frustré ne sera jamais agréable, et vous n'êtes pas obligé d'en venir à aimer cela, mais vous pouvez toutefois, comme tous les êtres humains, tolérer la frustration. Attendez-vous à ne pas obtenir tout ce que vous souhaitiez. Cela serait agréable qu'il en soit toujours selon vos désirs, mais cela ne sera pas toujours le cas. Certains se comportent d'une façon qui vous est malheureusement désagréable. Il s'agit simplement de situations irritantes et désagréables.

Vous pouvez accepter un événement désagréable comme quelque chose qui s'est produit (mais que vous n'aimez pas).

14) Pardonnez-vous vos erreurs.

Échouer n'est pas toujours horrible. C'est souvent une occasion d'apprendre. Les gens sont souvent fâchés contre eux-mêmes lorsqu'ils violent leurs propres règles ou standards de comportements et lorsqu'ils s'imposent de ne pas le faire.

Ne pas agir selon ses règles est signe que l'on fait face à un problème. Ce comportement n'est pas permanent, il sera rétabli bientôt. L'erreur est humaine. Soyez indulgent avec vous-même comme vous l'êtes avec vos amis. Une basse note à un examen ou une demande de changement de votre supérieur peuvent être des signaux importants vous indiquant simplement qu'il est temps de fournir plus d'efforts ou de travailler différemment.

15) Passez à autre chose.

Une des façons de contrôler ses émotions consiste à détourner son attention, que ce soit par la lecture, la marche, téléphoner à un ami, des visites, du sport, ou du bricolage. Naturellement, lorsque vous avez un problème à régler, mieux vaut y penser et chercher la solution la plus efficace. Il y a toutefois plusieurs situations reliées à la colère où le fait d'y penser n'amène aucune solution; il ne s'agit alors que de ruminations qui ne font qu'exacerber votre colère. Mieux vaut alors passer à autre chose, quitte à y revenir plus tard lorsque vous vous serez calmé. Ce n'est pas sur le coup de la colère que vous êtes à votre meilleur pour prendre une décision d'importance ou pour régler un problème délicat.

4.10) La capacité d'affronter l'existence de la solitude et de la mort

Certains se comportent comme s'ils étaient éternels, et comme s'ils n'auraient jamais à vivre seul, ne serait-ce que quelques instants. La capacité d'affronter les grands problèmes existentiels que sont la solitude et la mort permet de vivre d'une façon plus sereine.

Nancy gaspillait beaucoup d'énergie à s'accrocher à droite et à gauche au bras de toute personne qui était prête à passer quelques moments avec elle. Elle a souvent payé cher cette compagnie. Les gens abusaient d'elle physiquement et financièrement. Elle fut soulagée de constater qu'elle pouvait demeurer seule si elle évitait de s'imaginer des catastrophes, d'accorder une importance exagérée à certaines sensations physiques ou à certains bruits et si elle acceptait de supporter un certain niveau de malaise temporaire. Ce malaise était désagréable, certes, mais inoffensif. Elle réalisa de plus que la solitude ne signifie pas l'inaction. Elle commença par entreprendre des activités qui absorbaient son attention. Cela l'aidait à mettre de côté ses chimères. Avec le temps, cela devint de moins en moins indispensable de se meubler l'esprit. Après s'être progressivement habituée à la solitude, elle fut surprise de constater jusqu'à quel point elle appréciait être seule. Elle put utiliser toute l'énergie qu'elle mettait pour recruter des compagnons temporaires à organiser sa vie d'une façon plus satisfaisante.

Le temps que vous passez seul, en tête à tête avec vous-même, est une bonne occasion de devenir votre propre ami, de mieux vous connaître et de découvrir votre point de vue sur bien des choses. Robert fut étonné de constater que tant qu'il discutait avec son épouse, il était prêt à déménager dans cette nouvelle maison loin de son travail. Toutefois, à chaque fois qu'il se retrouvait seul, il ne voulait absolument pas déménager. Loin de l'influence directe de son épouse, il pouvait penser plus librement et découvrir comment il se sentait vraiment à ce sujet. Cela lui permit d'aborder ses objections avec elle et de trouver une maison plus près de son travail.

La capacité de demeurer seul, n'est pas seulement se retirer des contacts avec les autres, cela permet aussi de se retirer de l'environnement qui correspond à nos problèmes. Cela peut nous permettre d'adopter un point de vue différent.

Pauline fut confrontée avec la mort lorsque sa mère mourut d'un cancer du poumon. Elle vécut un deuil et en ressortit avec une nouvelle perception: la futilité de l'accumulation de biens matériels qui seront éparpillés à tout vent après sa mort. Elle modifia sa façon de se comporter pour agir en accord avec le nouvel ordre de ses valeurs.

Quelles que soient nos pensées au sujet de la mort, c'est surtout notre peur de souffrir qui nourrit nos craintes. Personne ne sait ce que mourir sera. Cela sera certainement différent de ce que vous pouvez imaginer. Peut-être vaut-il mieux l'affronter au moment où elle se présentera? La tâche des vivants est de se consacrer à vivre. Personne ne peut vous fournir une description scientifiquement valable de ce qui se passe après la mort. Nous avons tous à nous construire une théorie personnelle qui relève exclusivement de nos croyances et de notre foi.

Donnez-vous la permission de réfléchir sur la mort, sur vos croyances et vos valeurs à ce sujet. N'évitez pas les contacts avec la mort: salons funéraires, cérémonies religieuses, visites à l'hôpital. Côtoyer la mort peut vous aider à en tenir compte dans votre vie. La mort fait partie de la vie. Le fait d'y penser ne l'amène pas plus rapidement. Au contraire, cela peut augmenter votre désir de vivre pleinement.

Nous avons vu comment vous pouvez développer votre autonomie en devenant responsable de vous-même, en utilisant votre propre jugement, en vous adaptant à votre environnement, en faisant des efforts avec persévérance; puis en atteignant un certain niveau de compétence, en ayant confiance d'obtenir la satisfaction de vos besoins, en faisant des choix, en apprenant à vous défendre et à surmonter la dépression, l'anxiété et la colère, et finalement en affrontant l'existence de la solitude et de la mort. Nous allons au cours du prochain chapitre aborder l'importance des relations avec votre entourage.

5

Des liens satisfaisants avec autrui

Ce chapitre vise à vous encourager à développer vos capacités à avoir des relations satisfaisantes avec les autres, ainsi que vos capacités de sollicitude, d'amour, d'engagement et de fidélité. C'est un des éléments mettant le plus en évidence l'importance des valeurs personnelles et sociales dans l'établissement de critères de santé mentale. Il y a une grande variété de façons de vivre ces aspects de la santé mentale selon les cultures et les religions. Quelles que soient vos valeurs à ce sujet, accordez-vous quelques temps de réflexion sur ces aspects de la santé mentale.

5.1) La capacité d'écoute, de sympathie et de sollicitude

Le respect des autres et la sensibilité à leurs joies et souffrances permettent de créer des ponts, de tisser des liens qui deviennent la toile de fond de l'ensemble de votre vie. Ces relations vous fournissent un milieu de vie propice au maintien de votre santé mentale.

L'individu qui agresse constamment les autres comme si leurs besoins, leurs désirs, leurs souffrances, et leurs points de vue n'avaient aucune importance peut avoir l'impression à court terme d'obtenir ainsi plus de satisfactions. C'est une illusion. Il risque de se retrouver isolé et abandonné. L'individu qui vit exclusivement pour lui-même risque de ne pouvoir satisfaire ses besoins de contacts humains.

Développez votre capacité à voir les choses du point de vue des autres. Imaginez-vous à leur place. Soyez sensible à leurs besoins. Lorsque vous les voyez dans une situation difficile, demandez-vous ce que vous sentiriez dans une telle situation, ce que vous aimeriez que les autres fassent si vous étiez dans cette situation et surtout demandez-leur comment ils souhaiteraient être aidés.

Une des façons de s'assurer de bien comprendre l'autre est de bien écouter. Demeurez d'abord silencieux, attentif et regardez directement la personne qui s'adresse à vous. Vous pouvez par la suite répéter le contenu de ce qu'il vous dit pour vérifier si vous avez bien compris le message. Au besoin, faites préciser ce que vous n'avez pas bien compris, surtout si vous sentez que cela l'aidera à clarifier sa propre pensée. Certains auteurs suggèrent de mettre l'accent sur les sentiments lors de ces reformulations. Cela permet d'aller à l'essentiel et favorise un cheminement personnel au cours duquel la personne devient de plus en plus en contact avec ce qu'elle vit. Certaines personnes écoutent très bien... jusqu'à ce qu'elles soient l'objet d'un reproche. Rappelez-vous que certains reproches peuvent vous être très utiles en vous apprenant ce qui dérange les autres dans votre comportement. Il faut donc écouter également ces reproches pour décider ensuite si vous voulez ou non changer votre comportement. Trop souvent, on peut imaginer que l'autre nous insulte sans que cela ne soit son intention. Vous pouvez l'aider à préciser sa critique de différentes façons.

D'abord lui exprimer votre désir de mieux le comprendre et demander son aide en disant par exemple: «J'ai de la difficulté à comprendre ce que tu veux me dire. Explique-moi encore un peu plus. Ça m'intéresse vraiment.» Vous pouvez également lui demander de vous donner un exemple du comportement qu'il critique, en disant par exemple: «Peux-tu m'en donner un exemple? Quand est-ce que cela s'est passé la dernière fois?» Vous pouvez lui demander de préciser ce qui le dérange personnellement et ce qu'il souhaite. «Je comprends ce que tu me décris mais en quoi est-ce que cela te dérange personnellement? Qu'est-ce qui te dérange exactement dans cela? Quel effet est-ce que cela a sur toi? Comment est-ce que tu souhaiterais que je me comporte?»

Mieux vaut éviter d'essayer de deviner ce que l'autre voulait dire. Vous risquez d'imaginer le pire et de vous tromper. C'est une des circonstances où il faut se méfier de ce que nous pouvons entendre avec nos souvenirs ou notre imagination, pour se concentrer sur ce que nous entendons réellement. Soyez bien sûr de comprendre ce que l'autre désire vous exprimer.

Serge a été surpris d'entendre son confrère Paul lui dire qu'il avait fait une erreur dans son rapport et que ce n'était pas la première fois que cela se produisait. Sur le coup, il le prit mal et se demanda si Paul laissait entendre qu'il était incompétent. Il lui demanda de quelle erreur il était question exactement et à quel moment il avait fait une erreur semblable. Il s'est avéré finalement qu'il s'agissait d'une erreur minime, sans grande importance, et que Paul voulait honnêtement lui rendre service afin qu'il apprenne une façon élégante et plus efficace de rédiger ses rapports.

Essayez de comprendre les sentiments de l'autre. Le fait d'essayer de vous imaginer à sa place peut vous aider à mieux comprendre ce qu'il vit et comment il voit la situation. Il a un point de vue qui lui est unique. Cela peut vous fournir une information intéressante. Ce n'est toutefois pas parce que vous prenez le temps et l'énergie de comprendre son point de vue que vous serez nécessairement en accord avec ce qu'il vous dit ou avec ce qu'il fait. Vous avez le droit d'exprimer vos idées et vos sentiments — même votre colère — en autant que vous veillez à ne pas agresser ou insulter l'autre. L'agression et l'insulte ne sont jamais utiles et ne permettent aucunement d'atteindre les objectifs que vous vous fixez. L'expression de vos sentiments vise ici à avoir un impact positif sur l'autre, à lui donner de l'information sur ce que vous vivez et à lui faire savoir l'importance que cela a pour vous.

Plusieurs personnes tirent les plus grandes satisfactions à prendre soin des autres. Certains en font le but même de leur existence. Ils jugent que ce qu'ils ont fait de mieux au cours de leur vie consistait à prendre soin de leurs conjoints, de leurs enfants, des pauvres et des malheureux. Il s'agit certes d'une valeur importante pour la société. Rappelez-vous toutefois que vous ne pourrez vous occuper des autres que si vous vous occupez d'abord suffisamment de vous-même. Vous ne pourrez pas aller reconduire les gens en automobile si vous ne prenez pas la peine de mettre de l'essence dans votre réservoir. Vous ne pourrez pas offrir votre sollicitude de façon soutenue si vous n'avez pas une vie suffisamment satisfaisante. Vous deviendriez vite amer, aigri, frustré et désagréable à fréquenter. La meilleure façon de s'assurer de pouvoir prendre soin des autres est de commencer par prendre soin de soi-même (Fortin et Néron, 1991). Juliette tenta de faire du bénévolat auprès de personnes âgées mais découvrit vite qu'elle revenait à la maison en pleurant chaque soir parce que cela lui rappelait trop sa mère récemment décédée. Elle se donna le temps de vivre ce deuil avant de tenter à nouveau ce type de bénévolat. Finalement, elle découvrit qu'elle se sentait plus à l'aise en aidant les enfants du voisinage à étudier après l'école. Lorsque vous choisissez de prendre soin des autres (bénévolat, actions communautaires, services à l'intérieur de la famille), assurez-vous que ce que vous faites convient à vos besoins et à vos valeurs. Tous s'en porteront mieux.

5.2) La capacité d'établir des relations réciproquement satisfaisantes avec les gens

Chacun a des besoins de contacts sociaux très différents. Vous pouvez désirer avoir des amis pour toutes sortes de raisons. La présence des gens autour de vous satisfait différents besoins.(Fiore, Coppel, Becker et Cox, 1986). La discussion avec des amis attentifs vous aide à clarifier et à approfondir votre compréhension des problèmes et des solutions possibles. Cela vous fournit un point de vue extérieur sur votre comportement. La présence des autres peut vous fournir de la sympathie, de la compréhension et vous rassurer ou encore vous permettre de partager des activités agréables telles que le magasinage, la discussion ou les loisirs. Certains vous fourniront une aide tangible pour exécuter des tâches précises. D'autres pourront vous toucher ou vous prendre dans leurs bras. Le fait de guider ou de donner du support à d'autres personnes peut vous permettre de vous sentir utile, et vous rassurer sur votre valeur en vous permettant de vous sentir apprécié par d'autres. Les événements difficiles de votre vie auront moins d'impacts négatifs sur vous si vous êtes satisfait de la disponibilité, de la qualité et de la pertinence du support des gens de votre entourage (Cohen et Wills, 1985; Coppel, 1980; Kessler et McLeod, 1985).

Pour augmenter la qualité d'aide que vous obtenez de votre entourage, informez les gens de vos besoins précis. Remerciez-les lorsqu'ils vous aident et acceptez que l'aide reçue soit imparfaite. Vous pourrez plus tard leur suggérer les améliorations que vous souhaitez.

Conservez des périodes de repos et d'intimité que vous pouvez partager de façon prévilégiée avec certaines personnes importantes pour vous. Cela consolidera vos liens et vous permettra de retourner au «combat» par la suite.

La capacité de «toucher» l'autre et de se laisser «toucher» par lui, d'établir des interactions, des contacts et des relations intimes, de maintenir une relation intime un certain temps est un élément important de la santé mentale.

Méfiez-vous des biais négatifs qui risquent de vous laisser avec une mauvaise évaluation de vos relations. Évitez d'accorder de l'importance à tous les petits indices qui peuvent vous laisser croire que les gens ne vous apprécient pas. Remarquez plutôt les sourires et les salutations des gens de l'entourage.

Ce sont des marques d'appréciation. Si vous ne cherchez que les micro-indices (soupirs, relèvement d'un sourcil, regards lourds d'un sens mystérieux) qui peuvent vous laisser croire qu'il y a beaucoup de gens qui sont déçus ou irrités de ce que vous faites, vous trouverez certainement plusieurs indices ambigus qu'il serait dommage d'interpréter systématiquement à votre désavantage.

Recherchez des gens qui vous font sortir le meilleur de vous-même. Évitez les gens qui vous encouragent à la détresse, qui agissent pour vous rendre dépendant et impuissant. Parlez d'autres choses que de vos problèmes. Évitez de vous plaindre sans cesse. On n'attire pas les mouches avec du vinaigre. Pour attirer des gens sains et intéressants, mieux vaut mettre en évidence la partie de vous qui peut se relier aux autres d'une façon saine. La présence de personnes en santé mentale autour de vous vous amènera à vous concentrer sur autre chose que votre détresse. Rappelez-vous des moments agréables que vous avez partagé avec des personnes de votre entourage. Qu'est-ce qui était agréable? Qu'est-ce que vous appréciiez de ces rencontres? Quels besoins étaient satisfaits?

Certaines personnes font l'erreur d'avoir des attentes très différentes envers les hommes et les femmes. Il y a probablement une qualité de contact que vous souhaitez retrouver chez un «être humain», une personne. La différence sexuelle sera probablement un élément qui s'ajoute à cette caractéristique de base. Rappelez-vous que certains hommes peuvent être très maternels, et certaines femmes très sécurisantes. Remettez en question vos préjugés, vos stéréotypes sexuels.

Certaines personnes font l'erreur de se baser uniquement sur des critères visuels pour choisir un ami ou un partenaire plutôt que d'être attentif à comment ils se sentent en présence de cette personne. Judith fut étonnée de constater que même si Robert ne correspondait pas aux critères de beauté masculine tels que définis par les médias, elle se sentait très bien avec lui, le trouvait intéressant et attirant malgré une apparence un peu banale. Stéphane, quant à lui, fut dérouté de voir que bien que Sylvie corresponde pour lui à l'image idéale de la femme — belle, bien mise, bien habillée, bien maquillée —, il s'ennuyait rapidement en sa présence et ne trouvait chez elle aucun point d'intérêt qui leur soit commun.

Une relation réciproquement satisfaisante implique habituellement le fait que chacun des partenaires ait la conviction que sa vie est plus intéressante, plus satisfaisante et plus riche du fait qu'il la partage avec quelqu'un d'autre. Il ne s'agit pas simplement de l'addition des ressources de chacune des personnes, mais d'un ajout à ces ressources relié en partie au plaisir de les partager. Vivre certaines expériences avec une autre personne fait que le plaisir retiré augmente. Tout en demeurant responsable de ses propres choix et d'une grande partie de sa vie, chacun des partenaires a avantage à favoriser le développement et la satisfaction de l'autre car ses richesses intérieures contribuent à augmenter son propre bien-être et son propre plaisir de vivre.

5.3) La capacité d'aimer, de s'engager et d'être fidèle

Il y a toutes sortes de façons bien différentes de vivre en couple et il est impossible d'en considérer une seule comme la bonne. Le choix qui vous convient est celui qui est efficace pour vous permettre de vivre une vie satisfaisante en fonction des valeurs qui vous sont propres et qui vous permettront d'atteindre les objectifs qui y correspondent. La dévotion mutuelle dans des relations partagées correspond toutefois à un besoin de base chez l'être humain.

La capacité de respecter un certain niveau de responsabilité et d'engagement vous permet d'établir des relations profondes, intimes, durables. Ces liens dureront assez longtemps pour qu'ils se développent. Les engagements fiables des autres envers vous augmenteront votre propre sentiment de sécurité affective.

La capacité d'être loyal envers certaines personnes et certains idéaux amène une qualité de relation qui favorise la satisfaction de nos besoins de sécurité et d'intimité. Il ne s'agit pas de la fidélité ou de la loyauté basée sur des obligations légales, mais bien d'une attitude intérieure qui implique que l'individu a établi que ses engagements envers une idée ou une personne avaient priorité sur l'attrait de la nouveauté.

Rappelons que l'engagement et la fidélité ne sont des valeurs personnelles que si elles sont choisies librement, suite à la considération d'un ensemble d'alternatives, si elles sont choisies avec une connaissance précise de leurs conséquences, si elles sont estimées et chéries, si elles sont annoncées ou reconnues publiquement, si elles s'expriment par des gestes et ce, à plusieurs reprises (Bradshaw, 1988; Simon, S. B., Howe, L. W., et Kirschenbaum, 1972).

L'individu engagé et fidèle verra à utiliser volontairement des stratégies qui l'aideront à respecter ses valeurs. Il vaut mieux éviter de se laisser rêver à une aventure agréable avec sa secrétaire en élaborant tous les aspects agréables imaginables sans y inclure les coûts reliés à une telle aventure, y compris le risque de perdre la relation stable dans laquelle vous avez déjà investi beaucoup d'énergie. Marié depuis 7 ans et père de deux enfants, Bernard se faisait un devoir, à chaque fois qu'il se sentait attiré par une jeune femme de son entourage, de prendre soin de l'imaginer sans maquillage, mal habillée et de mauvaise humeur. Cela lui arrivait aussi de l'imaginer 10 ans plus vieille. Cela l'aidait à éviter d'idéaliser une idylle romantique quelconque et de demeurer fidèle à ses engagements. Trop de ruptures sont basées sur l'illusion que tout sera facile alors que la personne se retrouve après deux ou trois ans dans une relation de couple semblable à celle qu'il a quittée.

La capacité d'établir et de maintenir des relations réciproquement satisfaisantes dépend en partie de votre capacité d'informer votre entourage avec tact de ce que vous ressentez et de ce que vous souhaiteriez qu'ils modifient dans leur comportement. L'harmonie n'apparaît pas tout d'un coup dans le couple. Il faut souvent y travailler patiemment. En indiquant clairement à l'autre le comportement que vous aimeriez qu'il adopte à l'avenir, vous évitez qu'il tâtonne inutilement dans l'espoir de finir par découvrir ce qui vous fera plaisir. Vous pouvez dire par exemple: «Je me sens triste et angoissé lorsque tu parles de me quitter. Je deviens en détresse et je ne réussis plus à t'écouter. J'aimerais qu'à l'avenir, tu ne me parles plus de partir mais plutôt de ce qui te fait mal au point que tu songes à me quitter et de ce que tu souhaites que je fasse. Es-tu prête à faire cela?»

Il est certainement plus constructif de dire à l'autre ce que vous souhaiteriez que de simplement vous plaindre de ce qui est arrivé dans le passé. En général, le fait de manifester ses désirs sous forme de suggestions rend plus facile la discussion du problème et élimine la querelle sans fin.

Rappelons toutefois qu'il ne s'agit pas de magie. Vous avez le droit de demander à quelqu'un de changer de comportement et l'autre a le droit de refuser de le faire. Rappelez-vous qu'il est le premier juge de ses comportements, de ses idées et de ses émotions, tout comme vous l'êtes des vôtres. Il s'agit d'augmenter vos chances qu'il collabore avec vous en lui donnant une information de qualité sur ce que vous vivez.

Certaines personnes accordent beaucoup d'importance à leur capacité de guider et de prendre soin de ce qu'elles ont engendré. Il s'agit d'une valeur importante face aux stades plus avancés de la vie. À un certain moment de son existence, l'être humain peut souhaiter consolider ses acquis pour que ce qu'il a fait puisse survivre et se développer. Cela s'applique à sa progéniture et à ses productions culturelles ou sociales. Cela peut aller de pair avec la capacité de préserver et de passer aux autres les connaissances et l'expérience accumulées au cours des années.

Cela peut impliquer la formation des jeunes, la diffusion de certaines idées, la promotion de certaines valeurs. L'Homme est un être social qui vit au milieu d'une société à laquelle il participe et où il laissera des traces. Cela peut s'intégrer dans la démarche personnelle de recherche du sens de ce que l'on vit, dans l'évolution de l'aspect religieux de notre vie. Cela sera influencé par nos valeurs, nos croyances, nos intentions.

Nous avons vu l'importance que peuvent avoir les relations satisfaisantes, la sollicitude, l'amour, l'engagement et la fidélité dans l'établissement et le maintien d'un état de santé mentale. Nous allons maintenant aborder l'importance de l'accès aux émotions et à l'expression.

6

L'accès aux émotions et à l'expression

Nous vous encouragerons dans ce dernier chapitre à développer l'accès à vos émotions et à l'expression. Cela implique une amélioration de votre sensation de bien-être, de votre capacité d'avoir du plaisir, ainsi que de votre capacité de ressentir et d'exprimer vos émotions.

6.1) La capacité de se sentir bien dans sa peau

Certains croient qu'être en santé mentale, c'est simplement se sentir «bien dans sa peau». Le psychopathe qui ne ressent aucun remords après plusieurs meurtres est-il en santé mentale? Et le psychotique qui se sent très heureux? Même si cet état n'est pas suffisant en lui-même pour définir la santé mentale, on peut penser qu'une personne qui ne se sentirait jamais bien ne pourrait pas se dire en état de santé mentale.

Se sentir bien dans sa peau, cela peut vouloir dire d'abord se sentir bien dans son corps. Tenez compte de votre corps. C'est une partie de vous. Remarquez la façon dont vous vous traitez. Boire de l'alcool avec excès, manger n'importe quoi, ne faire aucun exercice, ne s'accorder aucun repos, se droguer, prendre le risque d'attraper une maladie vénérienne lors d'une relation sexuelle non-protégée, s'épuiser, se surmener, prendre des risques injustifiés d'accidents sportifs ou d'accidents d'automobile: voilà autant de façons de vous maltraiter et d'en venir éventuellement à être mal dans votre peau. Protégez autant que vous le pouvez votre intégrité physique.

L'ensemble des suggestions comprises dans ce livre visent à vous aider à vous sentir de mieux en mieux dans votre peau. Mentionnons brièvement l'importance d'accepter ce que l'on vit, de cultiver des relations satisfaisantes et dans la mesure du possible de satisfaire ses besoins. Ajoutons que l'importance d'avoir des exigences et des attentes réalistes envers soi-même s'applique aussi à son corps. Cela signifie pour la plupart d'entre nous d'oublier les modèles irréalistes que vous présente la mode et d'oublier les performances sportives olympiques. Recherchez plutôt la santé que la forme exceptionnelle ou que la performance de haut niveau.

Souvenez-vous de moments où vous étiez bien dans votre peau et identifiez comment vous y étiez parvenu. Demandez-vous comment vous pourriez procéder pour retrouver cet état. Pratiquez une forme quelconque de relaxation ou de méditation pour avoir accès à une sensation de détente, de calme, de paix. Initiez-vous à des activités agréables visant à la satisfaction de vos besoins.

6.2) La capacité d'avoir du plaisir

La capacité d'avoir du plaisir amène à avoir l'énergie de poursuivre sa vie et de traverser les moments difficiles sans se décourager. Certaines personnes suicidaires sont obsédées par la recherche d'un sens à la vie. Elles se tourmentent avec des questions sans réponses qui alimentent les réflexions des philosophes depuis des milliers d'années. Ces interrogations deviennent moins urgentes et sont parfois complètement laissées de coté, lorsque ces mêmes personnes réussissent à rendre leur vie plus satisfaisante, c'est-à-dire à identifier et à satisfaire leurs besoins.

Faites de la place aux événements agréables. Évitez de minimiser ou disqualifier ce qui vous arrive de positif. Si tout

le monde vous souhaite «Bonne fête», ce n'est pas très appro-
prié de vous dire qu'ils ont fait cela parce qu'ils n'ont pas le
cœur de montrer leur haine ou qu'ils sont trop lâches pour
vous ignorer. Les gens ne font pas que respecter un rituel
hypocrite qu'ils se sentent obligés de maintenir pour ne pas
avoir d'ennuis. Donnez-leur au moins le bénéfice du doute.
Il y a toutes sortes de personnes dans l'univers: vous en
trouverez de bonnes, de mauvaises et d'autres relativement
neutres. Que cela ne vous empêche pas de rechercher la
présence de celles dont la présence vous est agréable.

L'accès à la sexualité est une des sources de plaisir de l'être
humain. Dépendamment des valeurs de l'individu, la vie
sexuelle peut permettre de satisfaire plusieurs besoins: le
besoin sexuel, le besoin d'amour, l'estime de soi, le besoin de
sécurité, etc. Certaines personnes (les prêtres, les religieuses)
décident de ne pas satisfaire ce besoin, préférant orienter
toute leur énergie vitale vers des buts différents. D'autres
luttent pour y avoir accès car leur éducation a malheureusement associé la sexualité à la culpabilité et à la honte. Ils ont
alors à développer un nouveau système de valeurs qu'ils
pourront progressivement intégrer à leurs croyances. Certains trouvent que notre société donne trop d'importance à
la sexualité, exacerbant nos désirs sans mettre l'accent sur des
valeurs qui correspondent vraiment à nos besoins.

Mentionnons à ce sujet l'importance de se méfier des
désirs qui ne correspondent après tout qu'à certains moyens
de satisfaire nos besoins, et non au besoin lui-même. Lorsque
j'ai soif, boire de l'eau est satisfaire mon besoin vital de
m'hydrater. Si la publicité m'a convaincu qu'il n'y a qu'une
sorte de «Cola» décaféiné et sans sucre qui peut satisfaire ma
soif, alors je suis victime de cette publicité. Cette confusion
entre les moyens que l'on peut prendre pour satisfaire un
besoin et le besoin lui-même amène à bien des malheurs
inutiles. Lorsque je sais avoir un besoin à satisfaire, je peux
choisir parmi un éventail de moyens. Line était malheureuse
parce qu'elle n'avait pas l'argent nécessaire pour suivre le

143

dernier régime à la mode, jusqu'à ce qu'elle constate que son but était de maigrir afin de se sentir mieux physiquement. Ce cours dispendieux n'était qu'un des moyens qu'elle pouvait prendre pour satisfaire ce besoin. Elle considéra les alternatives et choisit de consulter son médecin qui la référa gratuitement à une diététiste. André, quant à lui, constata que le fait de perdre du poids n'était pour lui qu'un moyen de se sentir plus à l'aise pour rencontrer des gens. Son besoin était de rencontrer des gens. Il accepta de commencer à le faire même avec un excédent de poids, ce qui lui permit de satisfaire directement son besoin.

Faites de la place pour le plaisir. Nous vous y avons déjà invité et nous vous le répétons. Si vos valeurs ne font aucune place au plaisir, jugeant sa recherche frivole et superficielle, remettez-les en question. Si une activité vous semble de l'extérieure banale, conventionnelle, hypocrite, donnez-vous la chance de l'essayer et de découvrir ce que certains peuvent y trouver d'agréable. Toutes les activités ne vous plairont pas, mais il y en a certainement une qui finira par vous plaire. Investissez une partie de votre énergie dans la découverte et la pratique d'activités agréables. Gardez un œil sur le niveau de satisfaction que vous obtenez. Ce n'est pas parce qu'une publicité vous dit qu'une activité est agréable que c'est le cas. Mettez de côté ce qui ne vous convient pas et recherchez ce qui satisfait vraiment vos besoins. Préparez-vous à la vie. Évitez d'utiliser vos loisirs pour vous préparer au malheur, au vieillissement ou à la mort. Un des messages sur lequel nous avons voulu mettre l'accent en titrant les deux livres dont je suis le co-auteur «Vivre avec le cancer» et «Vivre avec un malade... sans le devenir!» (Fortin et Néron, 1990, 1991) est que l'important, c'est d'être vivant aussi longtemps qu'on est en vie. Le défi, c'est de vivre. Profitez de cette vie.

N'exigez pas l'impossible comme préalable à votre paix d'esprit. Vous pouvez profiter des plaisirs de la vie sans attendre que tous les enfants du monde mangent à leur faim, même s'il y a encore des conflits armés dans le monde et même si la justice n'est pas rendue de façon absolue partout et en tout temps. Vous n'avez pas à rechercher quotidiennement dans les nouvelles des journaux, de la radio et de la télévision pour vérifier quotidiennement les bonnes raisons d'être déprimé. Vous n'aiderez personne et ne pourrez pas faire votre part pour améliorer l'univers si vous vous mettez hors d'état en vous déprimant. Habituez-vous progressivement à goûter aux différents plaisirs de la vie.

6.3) La capacité de ressentir et d'exprimer ses émotions.

La première étape pour développer ses capacités d'identifier puis d'exprimer ses émotions consiste d'abord à apprendre à se dire et à dire aux autres:

– Je me sens bien.

– Je me sens mal.

– Je me sens mal à l'aise.

Par la suite, la personne apprend à identifier les nuances de ce qu'elle vit et à les exprimer plus à fond. Rappelons qu'il est normal de ne pas savoir s'exprimer si on n'a jamais appris à le faire. On trouve dans la littérature 135 noms d'émotions regroupés autour des termes généraux d'amour, de joie, de surprise, de colère, de tristesse et de peur (Lazarus, 1991). Les nuances auxquelles nous aurons accès dépendront de l'étendue de notre vocabulaire et de celui de notre interlocuteur. Heureusement, il existe le merveilleux monde des images qui nous permet de communiquer nos émotions d'une façon souvent plus puissante et efficace que n'importe quel mot du dictionnaire. Prenons les exemples suivants: «Je me sens comme si j'étais en prison.» «Je me sens comme si j'étais assis près d'un lion affamé.» «Je me sens comme si j'avais gagné un million.» Prenez l'habitude de rechercher une image qui exprime vos sentiments. Cela aidera l'autre à comprendre votre perception de la situation et quel effet cela a sur vous.

Indépendamment de votre niveau de vocabulaire et de vos habitudes à avoir recours au monde des images, votre aisance à exprimer et ressentir vos émotions dépend en partie des règles familiales qui vous permettaient ou vous défendaient d'y avoir accès.

– Est-ce que c'était permis de rire, d'être inquiet, de pleurer, de se fâcher lorsque vous étiez enfant?

– Comment vos parents, frères et sœurs réagissaient-ils lorsqu'ils étaient joyeux, en colère, tristes ou inquiets? Comment réagissaient-ils lorsque les autres avaient ces émotions?

– Comment saviez-vous qu'ils étaient joyeux, inquiets, tristes, en colère? Que faisiez-vous lorsque cela se produisait?

Une fois que vous avez découvert les règles familiales qui ont influencé votre propre attitude face aux émotions, vous pouvez les remettre en question et commencer à vous comporter selon de nouvelles règles que vous jugez maintenant plus saines. Il est toujours utile et acceptable de ressentir une émotion, quelle qu'elle soit. Il s'agit d'une information précieuse sur ce que vous vivez. Vous pouvez choisir de l'exprimer ou non, au moment pertinent, à certaines personnes que vous choisirez. Il est très important de pouvoir dire clairement et directement vos sentiments négatifs et votre point de vue plutôt que de les déguiser en accusations et en jugements absolus (Boisvert, et Beaudry, 1979; Fortin et Néron, 1991; Gordon, 1977). Il est possible de le faire en veillant à parler de vous-même plutôt que d'attaquer l'autre.

Supposons par exemple que votre conjoint n'apprécie pas votre façon d'éduquer votre jeune fille. Il pourrait alors vous dire: «Tu n'arrêtes pas de lui crier des reproches. Tu es vraiment insupportable!» Vous vous sentiriez sans doute accusé et blessé par cette remarque et vous auriez peut-être même tendance à vous défendre en disant: «Il faut bien que je crie, sans cela elle ne m'écoute pas! Elle est aussi têtue que toi! Et puis tu ne te vois pas faire; toi aussi tu cries souvent!» Évidemment, on peut s'attendre à ce que ce dialogue ne règle pas le problème et qu'il amplifie inutilement le conflit. Si vous avez appris à exprimer vos sentiments de façon indirecte et accusatrice, c'est le risque que vous courez dans vos relations avec votre entourage et avec le malade. C'est le risque du langage du «tu» («Tu» es comme ceci, «tu» es comme cela).

Imaginez maintenant ce qui se passerait dans l'exemple précédent si votre conjoint vous disait plutôt: «Je me sens mal à l'aise quand tu parles fort à Julie. J'ai peur qu'elle se sente bousculée et incomprise. Je deviens tendu lorsque j'entends le ton que tu utilises dans ces circonstances-là». C'est ici plutôt le langage du «je» («Je me sens de telle façon»). Si vous exprimez directement vos sentiments et votre point de vue, il sera sans doute plus facile pour votre entourage d'écouter ce que vous dites et d'en tenir compte. Si vous avez un sentiment négatif à exprimer, faites-le donc en parlant de ce que vous vivez, de vos sentiments et de la situation précise qui est reliée à ce sentiment. L'expression de vos sentiments vise à avoir un impact positif sur l'autre, à lui donner de l'information sur ce que vous vivez et à lui faire savoir l'importance que vous y accordez.

Plusieurs personnes obtiennent un soulagement de leurs tensions en se confiant à un ami intime. Il s'agit ici d'une personne capable de recevoir vos confidences. Il importe qu'elle ne fasse pas partie du «problème», sans quoi vous risquez de vous retrouver en situation de conflit et cela n'apporte pas un grand soulagement. Faisons encore une fois la différence entre les situations où il y a un problème à régler avec quelqu'un et celles où l'on souhaite simplement se vider le cœur. Dans le premier cas, il est plus efficace de parler directement à la personne concernée, alors que dans l'autre, une personne extérieure à la situation peut parfois mieux écouter.

Certaines personnes ont temporairement recours à des médecins, des infirmières, des travailleurs sociaux ou des psychologues pour se confier. De préférence, cette utilisation des professionnels de la santé est une étape intermédiaire vers l'établissement de relations avec des gens de l'entourage qui pourront écouter et offrir une amitié qu'aucun professionnel ne peut fournir.

Nous avons vu dans ce dernier chapitre l'importance de l'accès à une sensation de bien-être, au plaisir, aux émotions et à l'expression.

En guise de conclusion

Vous êtes maintenant mieux informé sur les éléments qui constituent un état de santé mentale et sur les moyens pertinents pour vous développer progressivement. Un grand éventail d'éléments de définition et de suggestions étaient regroupés autour de six grands thèmes: 1) une attitude positive envers soi-même; 2) un état d'équilibre en mouvement; 3) une perception et une évaluation juste; 4) l'autonomie; 5) des liens satisfaisants avec autrui; et 6) l'accès aux émotions et à l'expression. J'espère que ces informations et ces suggestions vous seront utiles. J'espère surtout qu'elles vous auront inspiré une réflexion personnelle qui se poursuivra bien au-delà des pages de cet ouvrage.

Personne ne peut vous fournir une solution facile, instantanée, accessible, gratuite et applicable à tous les problèmes. Fuyez ceux qui vous promettent une telle solution. Recherchez plutôt l'artisan habile qui, tout en reconnaissant qu'aucune œuvre n'est parfaite, est prêt à vous aider à choisir ce que vous voulez faire, comment et à quelle vitesse vous voulez le faire, à choisir les outils nécessaires à votre projet, à vous permettre d'apprendre ce qu'il faut pour atteindre votre but, vous encourager à persévérer malgré la fatigue et le découragement occasionnel, vous suggérer éventuellement d'essayer d'agir seul, puis finalement vous permettre de poursuivre seul, selon votre propre style, une variété d'œuvres humaines imparfaites mais uniques et précieuses.

Choisissez minutieusement les artisans qui contribueront au développement de votre art de vivre.

Bibliographie

Bandura, A. (1977). Self-efficacy: Toward a unifying theory of behavioral change. *Psychological Review*, 84, 191-215.

Bandura, A. (1986). *Social foundations of thought and action: A social cognitive theory*. Englewood Cliffs, NJ: Prentice-Hall.

Bandura, A. (1990). Conclusion. In R.J. Sternberg et J. Kolligan. *Competence Considered* (pp. 315-362). New Haven: Yale University Press.

Barlow, D. H. et Cerny, J. A. (1988). *Psychological Treatment of Panic*. New York: The Guilford Press.

Beck, A. T. (1967). *Depression: Clinical, experimental and theoretical aspects*, New York: Harper & Row Publishers.

Beck, A. T. (1976). *Cognitive Therapy and the Emotional Disorders*, Madison, International Universities Press.

Beck, A. T. et Emery, G. (1985). *Anxiety disorders and phobias: A cognitive perspective*. New York: Basic Books.

Boisvert, J. M. et Beaudry, M. (1979). *S'affirmer et communiquer*. Montréal: Editions de l'Homme.

Bradshaw, J. (1988). *Healing the shame that binds you*. Deerfield Beach, Florida: Health Communications, Inc.

Broch, Henri (1991). *Au cœur de l'extraordinaire*. Paris: Collection Zétitique. Horizon chimérique.

Cameron-Bandler, L. (1985). *Self-concept procedure* San Rafael, CA: Future Pace.

Chalvin, D. (1980). *L'affirmation de soi*. Paris: Les Éditions ESF.

Cohen, S. et Wills, T. (1985). Stress, social support, and the buffering hypothesis. *Psychological Bulletin*, 98, 310-357.

Coppel, D. B. (1980). *The relationship of perceived social support and self efficacy to major and minor stresses*. Thèse de doctorat non publiée. Washington: University of Washington (disp. sur University Microfilms International, no 8029744).

CSICOP: Committee for the Scientific Investigation of Claims of the Paranormal (1992). *The Skeptical Inquirer*. Box 229, Buffalo, N.Y. 14215-0229, U.S.A. Organisme ayant assisté à la mise sur pied de l'association des Sceptiques du Québec.

Dryden, W. (1990). *Dealing with anger problems: Rational-emotive therapeutic interventions*. Sarasota, Florida: Professional Resource Exchange.

Emery, G. (1982). *Controlling depression through cognitive therapy*. New York: BMA Audio cassettes, Guilford Publications.

Emery, G. (1987). *Overcoming Anxiety*, New York: BMA Audio cassettes, Guilford Publications.

Feindler, E. L. et Exton, R. B. (1986). *Adolescent anger control: Cognitive-behavioral techniques*. Elmsford, NY: Pergamon.

Fiore, J., Coppel, D.B., Becker, J. et Cox, G.B. (1986). Social support as a multifaceted concept: Examination of important dimensions for adjustment. *American Journal of Community Psychology, 14*(1), 93-111.

Fortin, B. (1986). Croissance personnelle: Questionnaire sur le couple. *L'Infirmière Canadienne, 26*(8), 17-18.

Fortin, B. (1987). Ma santé mentale. *The Canadian Nurse/L'Infirmière Canadienne, 83*(5), 35.

Fortin, B. (1988). De l'état actuel à l'état désiré. *The Canadian Nurse/L'Infirmière Canadienne, 84*(7), 46-49.

Fortin, B. (1989) Imagerie mentale et comportements nouveaux. *The Canadian Nurse/L'Infirmière Canadienne, 85*(10), 44-46.

Fortin, B. (1990) Le point de vue de l'oiseau. *Avenir et Santé*, no *190*, 20-23. Revue de la Fédération Nationale des Infirmiers, 7 rue Godot-De-Mauroy, 75009 Paris.

Fortin, B. (1990) Le point de vue de l'oiseau. *The Canadian Nurse/L'Infirmière Canadienne, 86*(8), 40-42.

Fortin, B. (1991). Mon efficacité personnelle et professionnelle. *The Canadian Nurse/ L'infirmière canadienne, 87*(4), 36-37.

Fortin, B. et Néron, S. (1990). *Vivre avec le cancer*. Montréal: Éditions du Méridien

Fortin, B. et Néron, S. (1991). *Vivre avec un malade...sans le devenir!* Montréal: Éditions du Méridien

Fortin, B. et Roskies, E. (1990). *S'occuper d'une victime de la maladie d'Alzheimer: Utilisez vos capacités au maximum en dépensant moins d'énergie*. Document non publié. Montréal: Université de Montréal.

Gordon, T. (1977). *Parents efficaces*. Montréal: Éditions du Jour.

Granger, L. (1980). *La communication dans le couple*. Montréal: Les Éditions de L'Homme.

Kessler, R. C. et Mc Leod, J. D. (1985). Social support and mental health in community samples. In S. Cohen et S. L. Syme (éds). *Social support and health* (pp 219-240). New York: Academic.

Lazarus, R. AS. et Folkman, S. (1984). *Stress, appraisal, and coping*. New York: Spinger Press.

Lazarus, R. S. (1991). *Emotion and Adaptation*. New York: Oxford University Press.

Lazarus, R. S. (1966). *Psychological stress and the coping process*. New York: McGraw-Hill.

Lazarus, R. S. et Launier, R. (1978). Stress-related transactions between person and environment. In L. A. Pervin and M. Lewis (éds). *Perspective in interactional psychology* (pp. 287-327). New York: Plenum.

Lewin, K. (1967). *Psychologie dynamique: Les relations humaines*, Paris: P.U.F..

MacPhillamy, D. J. et Lewinsohn, P. M. (1982). The pleasant events schedule: Studies on reliability, validity, and scale intercorrelation. *Journal of Consulting and Clinical Psychology*, *50*(3), 363-380.

Maslow, A. H. (1970). *Motivation and personality*. New York: Harper.

Mathews, A. M., Gelder, M. G. et Johnston, D. W. (1981). *Agoraphobia: Nature and treatment*. New York: The Guilford Press.

Meichenbaum, D. H. (1977). *Cognitive-behavior modification: An integrative approach*. New York: Plenum Press.

Murray, H.A. (1953). *L'exploration de la personnalité (2 volumes)*. Paris: P.U.F.

Novaco, R. W. (1975). *Anger Control*. Lexington, Massachusetts: Lexington Books, D. C. Heath and Company.

Sabourin, M. (1974). *Techniques de relaxation*. Don Mills, Ontario: RCA Records.

Saint-Arnaud, Y. (1974). *La personne humaine*. Montréal: Les éditions de l'Homme.

Sarason, I. G. (1975). Anxiety and self-preoccupation. In I. G. Sarason et D. C. Spielberger (éds.). *Stress and anxiety* (vol. 2, pp. 27-44). Washington, DC: Hemisphere.

Schiff, J. L. (1975). *Cathexis reader: Transactional analysis treatment of psychosis*. New York: Harper & Row.

Sells, SW. B. (1970). On the nature of stress. In J. E. McGrath (ed.). *Social and psychological factors in stress* (pp. 134-139). New York: Holt.

Simon, S. B., Howe, L. W., et Kirschenbaum, H. (1972). *Values Clarification: A handbook of practical strategies for teachers and students*. New York: A & W Visual Library.

Smith, M. J. (1975). *When I say no, I feel guilty*. New York: Dial Press.

Watzlawick, Paul (1978). *La réalité de la réalité: Confusion, désinformation, communication*. Paris: Seuil.

Worden, J. W. (1982). *Grief counseling and grief therapy: A handbook for the mental health practitioner*. New York: Springer Publishing Company.

Table des matières